对外汉语本科系列教材

语言技能类 一年级教材

汉语教程 修订本

HANYU JIAOCHENG

第二册

初版

主 编：杨寄洲
副主编：邱 军
编 者：杨寄洲 邱 军 朱庆明
英 译：杜 彪
插 图：丁永寿

修订本

修 订：杨寄洲
英 译：杜 彪

北京语言大学出版社
BEIJING LANGUAGE AND CULTURE
UNIVERSITY PRESS

图书在版编目（CIP）数据

汉语教程·第二册·下/杨寄洲主编. －修订本
—北京：北京语言大学出版社，2011 重印
（对外汉语本科系列教材）
ISBN 978－7－5619－1637－7

Ⅰ. 汉…
Ⅱ. 杨…
Ⅲ. 汉语－对外汉语教学－教材
Ⅳ. H195.4

中国版本图书馆 CIP 数据核字（2006）第 044205 号

| 书 | 名：汉语教程·第二册·下 |
| 责任印制：姜正周 |

出版发行 **北京语言大学出版社**

社 址：北京市海淀区学院路 15 号　邮政编码 100083
网 址：www.blcup.com
电 话：发行部　82303650 /3591 /3648
　　　　编辑部　82303395
　　　　读者服务部　82303653 /3908
　　　　网上订购电话　82303668
　　　　客户服务信箱　service@blcup.net
印 刷：北京外文印刷厂
经 销：全国新华书店

版 次：2006 年 7 月第 2 版　2011 年 2 月第 8 次印刷
开 本：787 毫米×1092 毫米　1 /16　印张：11
字 数：139 千字　印数：73001—83000 册
书 号：ISBN 978－7－5619－1637－7 / H·06085
定 价：27.00 元

Contents 目 录

第十一课	前边开过来一辆空车

一 课文 Kèwén ● Text ·······················

（一）前边开过来一辆空车

（秋天的一天，田芳请张东、玛丽和麦克到家里做客……）

田芳：等车的人越来越多了，咱们还是打的去吧，别坐公共汽车了。

玛丽：好吧，你看，那边正好开过来一辆空车，就坐这辆吧。

（在出租车上）

玛丽：你家住的是四合院吗？

田芳：是啊。我家院子里种着一棵大枣树，树上结着很多红枣。远远儿地就能看见。一看见那棵大枣树就看到我家了。今天请你们尝尝我家的红枣，可甜了。

玛丽：我听说现在住四合院的越来越少了。

田芳：是。现在城市里大楼越盖越多，住宅小区也越建越漂亮。很多人都搬进楼房里去住了。我们院子里最近也搬走了五六家，明年我们家也要搬走了。

玛丽：那太遗憾了。

田芳：我虽然也舍不得离开我们家的小院，但还是希望快点儿搬进现代化的楼房里去住。

（二）年轻人打扮得越来越漂亮了

（圣诞节和新年快到了……）

王老师：同学们已经学了两个多月汉语了。今天，想请大家随便谈谈自己的感想和体会。有什么意见和建议也可以提。

玛　丽：刚来的时候，我不习惯北京的气候，常常感冒，现在越来越习惯了。

麦　克：我们的汉语越来越好，觉得越学越有意思了。

玛　丽：我的朋友越来越多了。

麦　克：朋友越多越好，"在家靠父母，出门靠朋友"嘛。

山　本：中国菜很好吃，我越吃越喜欢吃，所以也越来越胖了。

麦　克：我觉得人们的生活一天比一天丰富，年轻人越来越会打扮，打扮得越来越漂亮了。

玛　丽：圣诞节和新年快到了，不少商店都摆着圣诞树，装饰得非常漂亮，我看见很多中国人也买圣诞树和圣诞礼物。

麦　克：老师，我听说中国人也开始过圣诞节了，是吗？

王老师：一般家庭是不过圣诞节的。有的人过圣诞节，可能是喜欢圣诞节那种欢乐的气氛，孩子们能从爸爸妈妈那儿得到礼物，当然也很高兴。不过，中国最大的节日还是春节。

麦　克：老师，我建议，咱们开一个新年联欢会，怎么样？

王老师：好啊！

二　生词 Shēngcí ● New Words

1.	做客		zuò kè	to be a guest
2.	越来越		yuèláiyuè	more and more, increasingly
3.	打的		dǎ dí	to take a taxi
4.	空	（形）	kōng	vacant; unoccupied
5.	四合院	（名）	sìhéyuàn	tranditional residential compound with houses around a square courtyard; quadrangle
6.	院子	（名）	yuànzi	yard
7.	种	（动）	zhòng	to plant; to grow
8.	棵	（量）	kē	(a classifier for plants, etc.)

9. 枣	（名）	zǎo	jujube；(Chinese) date
10. 结	（动）	jiē	to bear (fruit)
11. 尝	（动）	cháng	to taste
12. 甜	（形）	tián	sweet
13. 越…越…		yuè…yuè…	the more…the more…
14. 盖	（动）	gài	to construct; to build
15. 住宅	（名）	zhùzhái	residence; dwelling
16. 小区	（名）	xiǎoqū	plot; estate
17. 建	（动）	jiàn	to build; to construct
18. 搬	（动）	bān	to move
19. 遗憾	（形）	yíhàn	sorry; regretful
20. 舍不得	（动）	shěbude	to be loath to use or part with; to grudge
21. 离开	（动）	líkāi	to leave
22. 现代化	（动、名）	xiàndàihuà	to modernize; modernization
23. 圣诞节		Shèngdàn Jié	Christmas; Christmas day
24. 新年	（名）	xīnnián	New Year's Day and its following days
25. 随便	（副、形）	suíbiàn	to do as one's please; casual; informal
26. 感想	（名）	gǎnxiǎng	impressions; thoughts
27. 体会	（动、名）	tǐhuì	to know from experience
28. 意见	（名）	yìjiàn	opinion; different opinion
29. 建议	（名、动）	jiànyì	proposal; suggestion; to propose; to suggest

30. 提	（动）	tí	to raise; to bring up
31. 出门		chū mén	to leave home
32. 人们	（名）	rénmen	people
33. 丰富	（形）	fēngfù	rich; plentiful
34. 打扮	（动）	dǎnbɑn	to dress up; to make up
35. 装饰	（动、名）	zhuāngshì	to decorate; decoration
36. 礼物	（名）	lǐwù	gift; present
37. 欢乐	（形）	huānlè	happy; joyous
38. 节日	（名）	jiérì	commemoration day; festival; holiday
39. 春节		Chūn Jié	Spring Festival，the 1st day of the 1st mouth of the Chinese lunar calendar
40. 开	（动）	kāi	to hold（a meeting，symposium，etc.）
41. 联欢会	（名）	liánhuānhuì	get-together; party

三 **注释** Zhùshì ● Notes ··

（一）四合院

四周由平房围成的院子。北京人过去大都住在四合院里。

A compound of houses around a square courtyard. Most of the Beijing residents lived in *siheyuan* in the past.

（二）在家靠父母，出门靠朋友

这句话的意思是：在家的时候依靠父母，离家在外时依靠朋友。

This sentence means：At home one relies on（needs the help of）parents；away from home one needs friends.

四 语法 Yǔfǎ ● Grammar

（一）人或事物的存在和出现：存现句

Indicating the existence and emergence of someone or something：The existence-emergence sentence

> 处所词 + 动词 + 助词/补语 + 名词
> Location words + Verb + Particle/Complement + Noun

（1）楼下上来一个人。

（2）前面开过来一辆出租车。

（3）门前种着一棵树。

（4）树上开着很多花。

存现句多用于对客观事物的描述，句中宾语是未知信息，是不确指的。所以，不能说：

An existence-emergence sentence is usually used to describe an objective entity. The object in the sentence is nonspecific. Therefore，we cannot say：

＊楼上下来了王老师。

（二）变化的表达："越来越……"和"越……越……"

Indicating a change：越来越…（more and more . . .）and 越…越…（the more . . . the more . . .）

"越来越……"表示事物的程度随时间的发展而变化。

"越…越…" is used to indicate that something changes in degree with the progress of time.

（1）课文越来越难。

（2）年轻人越来越会打扮了。

（3）来中国学习汉语的人越来越多。

"越……越……"表示程度随条件的变化而变化。

"越…越…" is used to indicate that something changes in degree with the change of condition.

（4）城市里大楼越盖越多了。

（5）他的汉语越说越好。

（6）你看，雨越下越大了。

"越……越……"已含有程度高的意义。因此不能再用程度副词来修饰谓语。

"越…越…" implies a sense of "being high in degree", and therefore, the predicate of the sentence may not be modified by an adverb of degree, e. g.

（7）这本书我越看越喜欢。

不能说：＊这本书我越看越很喜欢。

五 练习 Liànxí ● Exercises

1 语音 Phonetics

（1）辨音辨调 Pronunciations and tones

yuànzi	yuánzǐ	dǎban	dǎ fān
suíbiàn	suīrán	chū mén	chǔfèn
fùmǔ	fúwù	hǎochī	hǎoshì
huānlè	huàn le	qīfēn	qīfèn

（2）朗读　Read out the following phrases

别等了　　别说了　　别吃了　　别喝了　　别去了

别吵了　　别睡了　　别找了　　别写了　　别看了

随便说　　随便谈　　随便坐　　随便要　　随便喝

过生日　　过寒假　　过暑假　　过新年　　过春节

越来越热　　　越来越冷　　　越来越好　　　越来越流利

越来越有意思　越来越喜欢　　越来越高兴　　越来越习惯

越学越有意思　越写越好　　　越跳越高　　　越跑越快

越练越熟　　　越说越流利　　越说越高兴　　越好越贵

2 替换　Substitution exercises

（1）<u>前边</u><u>开过来</u><u>一辆空车</u>。

前边	跑过来	一个人
301 房间	搬走了	一个学生
我们班	来了	一个新同学
树上	掉下来	很多苹果
我们院里	搬走了	五六家
树上	落下来	几片红叶

（2）<u>她家门前</u><u>种</u>着<u>一棵树</u>。

树上	结	很多红枣
门上	贴	一个双喜字
书架上	摆	很多书
院子里	种	一些花
楼前边	停	几辆车
墙上	挂	很多照片

(3) <u>现在住四合院的人</u>越来越<u>少</u>了。

天气	冷
天气	暖和
学过的生词	多
我觉得	有意思
我对这儿的气候	习惯
人们的生活	丰富

(4) <u>年轻人</u>越<u>打扮</u>越<u>漂亮</u>了。

她	长	好看
她的汉语	说	好
这儿的高楼	盖	多
雨	下	大
风	刮	大

3 选词填空 Choose the right words to fill in blanks

A. 越来越　四合院　尝尝　着　节日　靠　欢乐　越……越……

(1) 我家院子里种_____很多花。

(2) 我觉得北京的_____是一种建筑文化。

(3) 这种建筑现在_____少了。

(4) 汉语_____学_____难，也_____学_____有意思。

(5) 我们全家_____父亲一个人工作生活。

(6) 这是我做的菜，请您_____。

(7) 中国最大的_____还是春节。

(8) 有些人过圣诞节可能是因为喜欢那种_____的气氛。

B. 睡着　贴着　放着　摆着　挂着　停着　种着　写着

(1) 会议中心前边_____很多花。

(2) 树下_____几辆车。

(3) 墙上_____一个双喜字。

(4) 床上_____一个孩子。

(5) 屋子里_____两个书架。

(6) 这本书上没有_____名字，不知道是谁的。

(7) 桌子上_____一瓶花。

(8) 教室里_____两张地图。

④ **完成句子**　Complete the following sentences

A. 越来越……

(1) 出院后，她的身体_____了。

(2) 城市的汽车_____了，城市交通_____了。

(3) 冬天快来了，天_____了。

(4) 我对这儿的生活_____了。

(5) A：你的发音_____了。

B：谢谢。可是我觉得语法_____了。

(6) 来中国学汉语的外国人_____。

B. 越……越……

(1) 你看，外边的雪_____。

(2) 她的汉语_____了。

（3）这本书很好，我_____。

（4）"出门靠朋友"，朋友_____。

（5）我觉得她_____。

5 改错句　Correct thesentences

（1）教室里跑出来了麦克。

_____

（2）很多同学坐着在草地上。

_____

（3）车里坐在我和一个朋友。

_____

（4）前边开过来他坐的汽车。

_____

（5）我们班来了这个新老师。

_____

（6）我的汉语越来越很流利了。

_____

（7）这个歌我越听越很喜欢。

_____

（8）在床上他坐着看报纸。

_____

6 根据实际情况回答下列问题

Answer the questions according to actual situations

（1）你家的门前种着什么？

（2）教学楼门口停着什么？

（3）你房间的墙上挂着什么？

（4）你的桌子上放着什么？

（5）你宿舍的窗户（chuānghu：windows）上挂着窗帘（chuānglián：windows sill）没有？

（6）你的窗台上摆着什么？

（7）你的书架上放着什么？

（8）你们教室的墙上挂着什么？

7 综合填空 Fill in the blanks

昨天我们到田芳家去做客。去的时候，雨下①_____很大，不过我们一到田芳家雨就停了。

田芳家住②_____一个四合院里。院子里种着一棵枣树，还种着很多花，有红的，有黄的，非常漂亮。他们家的院子不太大，但是很干净，也很安静。

田芳的爸爸妈妈一看我们来了，就走出来笑着说："欢迎你们来我家做客，请到屋里坐吧。"

田芳给我们介绍了她的爸爸妈妈。

我知道田芳的爸爸妈妈都是大学教授。田芳的爸爸说，你们就叫我们田老师和黄老师吧。黄老师热情③_____给我们倒茶，请我们吃水果。她说，你们跟田芳是同学，又是好朋友，到这儿来就像到自己家里一样，不要客气。

田芳说，先参观参观我爸爸的书房吧。她领着我们走进了她爸爸的书房。房间不太大，周围摆着几个大书架。书架里放着很多书，有中文的，也有外文的，有文学、历史方面的，也有政治、哲学方面的。我看④_____一下，很多书我都不知道，我只认识鲁迅、毛泽东和邓小平的名字，因为我在国内时读过他们的书，当然是翻译成英文的。窗前是一张写字台，写字台旁边放着一台新电脑，电脑还开⑤_____呢。

沙发后面的墙上挂着几幅字画，田芳指着这些字画给我们介绍说："这是徐悲鸿画的画儿，那是郭沫若写的字。"田芳问我，你知道徐悲鸿和郭沫若是谁吗？我说不知道。我对中国了解得太少了。

田芳告诉我，徐悲鸿是中国有名的画家，郭沫若是中国有名的历史学家。

田芳说："这些书和字画都是我爷爷留给我们的。"

参观⑥_____书房，田芳说："我们到客厅坐一会儿吧，你们不是想学包饺子吗？今天，我爸爸妈妈请你们吃饺子。"

我们走进客厅的时候，田芳的爸爸妈妈正准备包饺子呢。她爸爸说："你们坐着聊天吧，我们两个包就行了。"田芳说："我们一起来吧，麦克和玛丽还想学学呢。"

我们洗了手就开始包饺子。

来中国以后我吃过一两次饺子，但没有包⑦_____饺子，这是第一次。我不会包，包了半天才包了一个，田芳说我包的饺子像小老鼠，说得大家都笑了。

我们大家一边包一边聊天，很热闹。我很喜欢这种欢乐的家庭气氛。

饺子端出来⑧_____。今天的饺子真好吃，我吃了二十多个。

吃完饺子，我们又坐了一会儿，就对两位老师说，我们该走了，谢谢你们，我们过得很愉快。两位老师一直送我们走出大门，对我们说："欢迎你们常来玩儿。"

富	宀	宀	宁	富							
棵	木	桿	桿	桿	棵						
越	走	走	走	越	越	越					
扮	扌	扮	扮								
盖	丷	羊	美	盖	盖	盖					
搬	扌	扌	扩	拥	拥	搬	搬	搬			
随	阝	阝	陌	随							
甜	舌	舌	舌	甜	甜	甜					
圣	又	圣	圣	圣							
诞	讠	讠	证	证	诞	诞					
装	丬	丬	壮	装	装						
饰	亻	饣	饣	饰	饰	饰					

第十二课 | 为什么把"福"字倒贴在门上

一 课文 Kèwén ● Text ·································

（一）我们把教室布置成了会场

　　圣诞节和新年快到了，我们班准备在圣诞节前举行一个联欢晚会，请老师们也来参加。晚会上我们要唱中文歌，用汉语讲故事，表演节目，品尝各国的特色菜。班长要求我们那天把自己亲手做的菜带到晚会上来，让大家品尝。

　　玛丽说："我们最好借一个大教室，把它布置成会场。"

　　前天，我们找到管理员，告诉了她借教室的事，她答应把那个大教室借给我们。昨天下午服务员把教室打扫了一下儿，把门和窗户也都擦得干干净净的。

　　我们把桌子摆成了一个大圆圈，爱德华把"圣诞—新年快乐"几个大字贴在了黑板上。

　　李美英说，晚会上她要和几个同学唱歌，跳舞，所以把音响也搬到教室里来了。爱德华昨天从商店买回来一棵圣诞树，我们把它摆在了教室的前边，用彩灯和彩带把它装饰得非常漂亮。

安娜是我们班最小的同学，她的生日正好是十二月二十五号，所以同学们还为她准备了一份生日礼物和一个生日蛋糕，但是我们还没把这事告诉她，我们想，到晚会上再把生日礼物拿出来送给她，给她一个惊喜，让她在中国过一个快乐的生日。

我们把教室布置好以后，请老师来看了看，老师高兴地说："你们把教室布置得真漂亮！"

为了开好这个联欢会，同学们都认真地做了准备。明天晚上六点钟，我们的晚会就要开始了，欢迎大家来参加。

（二）把对联贴在大门两边

（春节前，王老师和夫人高老师也在布置他们的家……）

高老师：哎，这幅画挂在什么地方比较好？

王老师：我想把它挂在中间。对了，小林还没把水仙花送来吧？

高老师：已经送来了，我把它摆在卧室里了。你来看，开得可好了。

王老师：把它摆在客厅里比较好。我把"福"字贴在门上吧。

高老师：把你写的对联也贴上去吧。（读对联）"新年新春吉祥，百行百业……"你是不是把"兴"字也写成"旺"字了？

王老师：哦，可不是嘛，写错了。应该是"新年新春吉祥，百行百业兴旺"。

（三）为什么把"福"字倒着贴在门上呢？

（麦克看见王老师家门上贴着对联，就问田芳……）

麦克：田芳，这就是你说的对联吗？

田芳：是啊。

麦克：门上这个字怎么念？

田芳：你仔细看看，认识不认识？

麦克：没学过。

田芳：这不是幸福的"福"字吗？过春节的时候，差不多家家都贴"福"字。

麦克：这是幸福的"福"字？为什么把"福"字倒着贴在门上呢？

田芳：这样，人们一看见就会说"福倒了"，听声音就是"福到了"。

麦克：哦，那我也去买一些"福"字来，把它倒着贴在门上、床上、桌子上、椅子上、沙发上、冰箱上、洗衣机上、空调上……等着幸福来找我。

二 生词 Shēngcí ● New Words

1. 品尝	（动）	pǐncháng	to taste
2. 特色	（名）	tèsè	salient feature; hallmark（or quality）
3. 亲手	（副）	qīnshǒu	with one's own hands; in person; oneself

4. 最好	(副)	zuìhǎo	had better; it would be best
5. 把	(介)	bǎ	(used when the object is placed before the verb, and is the recipient of the action)
6. 它	(代)	tā	it
7. 布置	(动)	bùzhì	to fix up; to arrange; to decorate
8. 会场	(名)	huìchǎng	place for a meeting
9. 管理员	(名)	guǎnlǐyuán	janitor in an organization
管理	(动)	guǎnlǐ	to mamage
10. 告诉	(动)	gàosu	to tell; to inform; to let know
11. 答应	(动)	dāying	to agree; to comply with; to answer
12. 打扫	(动)	dǎsǎo	to sweep; to clean
13. 窗户	(名)	chuānghu	window
窗	(名)	chuāng	window
14. 擦	(动)	cā	to wipe clean with a rag or tower
15. 桌子	(名)	zhuōzi	table; desk
16. 圆圈	(名)	yuánquān	circle; ring
17. 黑板	(名)	hēibǎn	blackboard
18. 音响	(名)	yīnxiǎng	stereo set including tape recorder, record player, radio, loudspeaker, etc.
19. 彩灯	(名)	cǎidēng	colored lights
20. 彩带	(名)	cǎidài	colored ribbon or streamer
21. 惊喜	(名)	jīngxǐ	an unexpected pleasant surprise
22. 宾馆	(名)	bīnguǎn	hotel
23. 夫人	(名)	fūren	wife

24.	幅	（量）	fú	(a classifier for painting, etc.)
25.	水仙	（名）	shuǐxiān	narcissus
26.	开	（动）	kāi	to bloom
27.	福	（名）	fú	luck; happiness; good forture; blessing
28.	字	（名）	zì	word; character
29.	对联	（名）	duìlián	rantithetical couplet
30.	新春	（名）	xīnchūn	(new) spring; spring time
31.	吉祥	（形）	jíxiáng	auspicious; lucky
32.	行业	（名）	hángyè	trade; profession
33.	兴旺	（形）	xīngwàng	prosperous
34.	哦	（叹）	ò	(expressing realization and understanding) Oh! I see.
35.	可不是	（副）	kěbúshì	right; exactly (expressing agreement)
36.	仔细	（形）	zǐxì	careful; carefully
37.	认识	（动）	rènshi	know; recognize
38.	声音	（名）	shēngyīn	voice; sound; vocality
39.	椅子	（名）	yǐzi	chair
40.	幸福	（形）	xìngfú	happiness
41.	倒	（动）	dào	inverted; upside down
42.	沙发	（名）	shāfā	sofa
43.	冰箱	（名）	bīngxiāng	refrigerator
44.	洗衣机	（名）	xǐyījī	washing machine
45.	空调	（名）	kōngtiáo	air-conditioner; air-condition

（一） 过春节的时候，差不多家家都贴"福"字

汉语中有些单音节名词也可以重叠使用，重叠以后表示"每"的意思。例如：

Some monosyllabic Chinese words can be reduplicatedtoo. The reduplicated form means "every". Examples：

家家＝每家　过春节的时候，差不多家家都贴对联。

天天＝每天　我天天都坚持锻炼一个小时。

人人＝每人　人人都要遵守交通规则。

（二） 哦，可不是 Oh, exactly/you've said it.

"哦"叹词，表示醒悟，领会。

"哦" is an interjection indicating sudden realization or understanding.

四 **语法** Yǔfǎ ● Grammar ……………………………

"把"字句（1） 把-sentence（1）

"把"字句是介词"把"及其宾语在句子中作状语的动词谓语句。

把-sentence is a type of structure unique to the Chinese language. The preposition "把" and its object combine to function as an adverbial in a sentence in which the verb is the predicate.

汉语句子的谓语动词与结果补语是紧密结合在一起的。中间不能再插入其他成分。当谓语动词带"在"、"到"、"给"和"成"等作结果补语时，它们的宾语必须紧随其后。而谓语动词本身如有宾语，则这个宾语既不能置于动词之后，也不能置于结果补语之后，更不能置于"动词＋在/到/给/成"的宾语之后。因此，必须用"把"将谓语动词的宾语提到动词前边，组成"把"字句。

The predicate-verb in a Chinese sentence is often closely linked with a complement indicating a result. Usually no other elements can be inserted in between. When a predicate-verb takes "在"、"到"、"给" and "成" as its complement (of result), its object must immediately follow. If the predicate-verb itself has an object, this object cannot be placed after the verb, nor can it be placed after the complement of result or after the object of "Verb + 在/到/给/到". Therefore, we have to use the word "把" and put the object of the predicate-verb before the verb, to form a 把-sentence. (Please look at the examples below.)

"把"的作用就是"提宾"。提宾的目的是为了保持句子的平衡。因为在汉语的动词谓语句中，动词后边的成分不能太长、太复杂。而动词前面的状语可以很长、也可以很复杂。

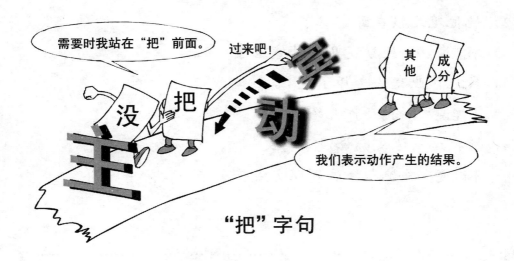

"把"字句

The function of "把" is tomove the position of the object (from behind the main verb to the front of it). The purpose of this is to keep the sentence in good balance. In a sentence with a verb as the predicate, the elements following the verb cannot be too long or too complex; however, the adverbial before the verb can be long and complex.

这类"把"字句表达通过动作使某确定事物（"把"的宾语）发生某种变化或产生某种结果。这种变化和结果一般是位置的移动、从属关系的转移和形态的变化等。

This type of 把-sentence is used to express the changes or the results brought about on the object of "把" through an action. These changes or results usually involve the changes in position，in dependence relationship or in condition.

"把"字句的结构是：

The structure of 把-sentence is：

（主语）＋把＋宾语＋动词＋在/到/给/成＋宾语＋（了）
（Subject）＋把＋Object＋Verb＋在/到/给/成＋Object＋（了）

（1）我把毛衣放到箱子里去了。

  不能说：＊我放毛衣到箱子里去了。

（2）她把花儿摆在卧室里了。

  不能说：＊她摆花儿在卧室里了。

（3）我把作业交给老师了。

  不能说：＊我交作业给老师了。

（4）她把这篇课文翻译成了英文。

  不能说：＊她翻译这篇课文成英文了。

五 练习 Liànxí ● Exercises ....

① 语音 Phonetics

（1）辨音辨调 Pronunciations and tones

xīngwàng	xìng Wáng	bùzhì	búshì
dǎsǎo	dàsǎo	pǐncháng	píngcháng
xìngfú	xīnkǔ	jíxiáng	jìxiàng

（2）朗读　Read out the following phrases

把那瓶花放在桌子上　　　　把名字写在本子上

把书摆在书架上　　　　　　把对联贴在门两边

把车开到学校去　　　　　　把菜放到冰箱里

把椅子搬到楼上　　　　　　把她送到机场

把教室借给我们　　　　　　把照片寄给妈妈

把作业交给老师　　　　　　把信带给王老师

把生词翻译成英语　　　　　把小说拍成电影

把美元换成人民币　　　　　把教室布置成会场

2 替换　Substitution exercises

（1）A：把这瓶花 摆在哪儿？

　　　B：把它摆在客厅里吧。

这张照片	挂	墙上
这幅画儿	挂	书房里
这张"福"字	贴	门上
车	停	门口
这些电话号码	写	本子上
这些书	放	书架上

（2）她把音响搬到了教室。

妈妈	送	医院
毛衣	放	箱子里
车	开	学校
孩子	带	国外
照片	放	书里
花	摆	客厅

(4) 把这件礼物 送给安娜。

这张照片	交	王老师
这张光盘	寄	弟弟
这本书	还	图书馆
这块蛋糕	送	女朋友
这些东西	带	我妈妈
这些钱	借	他

(5) A：你是不是想把这个教室 布置成会场？

B：对。（我想把教室 布置成会场。）

这个句子	翻译	英文
这本小说	拍	电影
这个屋子	布置	卧室
这本书	做	光盘
这个故事	写	一本书

3 选词填空 Choose the right words tofill in blanks

对联 品尝 摆 倒 幅 最好 打扫 亲手

(1) 这是我亲手做的家乡菜，请您＿＿＿＿＿＿一下。

(2) 上课以前＿＿＿＿＿把课文和生词都预习一下。

(3) 我们把房间＿＿＿＿＿＿一下吧。

(4) 把"福"字＿＿＿＿＿＿着贴，我觉得很有意思。

(5) 这件棉袄是妈妈＿＿＿＿＿＿给我做的，不是买的。

(6) 把这瓶鲜花＿＿＿＿＿＿在客厅里吧。

（7）把这＿＿＿＿＿＿画挂在那边墙上。

（8）把买来的＿＿＿＿＿＿贴在大门两边吧。

4 用"在、到、给、成"填空 Fill in the blanks with "在"，"到"，"给" or "成"

（1）请帮我把这封信翻译＿＿＿＿＿＿英文，好吗？

（2）我要把这块蛋糕送＿＿＿＿＿＿朋友作生日礼物。

（3）我把她送＿＿＿＿＿＿机场就回来了。

（4）把这幅画挂＿＿＿＿＿＿那儿不太好。

（5）把这张桌子搬＿＿＿＿＿＿外屋去吧。

（6）你把我的护照放＿＿＿＿＿＿哪儿了？

（7）"眼睛"的"睛"左边是"目"，你把它写＿＿＿＿＿＿"日"了。

（8）我的发音还不太好，常常把"是不是"说＿＿＿＿＿＿"四不四"。

5 根据划线部分用疑问代词提问

Use interrogative pronouns to ask questions about the underlined parts

> 例：我把自行车放在门口了。
>
> → 你把自行车放在什么地方了（哪儿）了？

（1）我把钥匙放在大衣口袋里了。

　　→

（2）我把那本书借给玛丽了。

　　→

（3）她已经把礼物寄给男朋友了。

　　→

（4）她打算把买来的画挂在宿舍的墙上。

　　→

(5) 麦克还没把这封信翻译成了英文呢。

　　→

(6) 把你的手机号给我写在这儿吧。

　　→

(7) 我想把这张照片送给她。

　　→

(8) 咱们把这棵树种在院子里吧。

　　→

6 **把下列肯定句改成否定句**　Change the following into negative sentences

例：他已经把书还给我了。

　　　→ 他没把书还给我。

(1) 他把那张画挂在大厅里了。

　　→

(2) 我把那本词典放在书架上了。

　　→

(3) 他把新买的 DVD 放在书柜里了。

　　→

(4) 玛丽把自行车放在楼前边了。

　　→

(5) 我已经把作业交给老师了。

　　→

(6) 我想把这些钱借给他。

　　→

(7) 他要把这篇文章翻译成中文。

     →

(8) 我把那些日元都换成人民币了。

     →

7 造"把"字句　Make 把-sentences

(1) 书　　　放　　　书架

_____

(2) 椅子　　搬　　　楼上

_____

(3) 车　　　停　　　家门口

_____

(4) 画儿　　挂　　　墙

_____

(5) 作业　　交　　　老师

_____

(6) 礼物　　送　　　安娜

_____

(7) 照片　　寄　　　朋友

_____

(8) 句子　　翻译　　汉语

_____

(9) 美元　　换　　　人民币

_____

8 改错句 Correct thesentences

(1) 我在书包里把词典放了。

_____

(2) 我应该送这个礼物给她。

_____

(3) 我用了两天的时间翻译这篇小说成英文。

_____

(4) 我常常把晚饭吃在饭店里。

_____

(5) 我挂新买的画儿在宿舍的墙上。

_____

(6) 我已经寄那张照片给妈妈了。

_____

9 遇到下列情况怎么说（用"把"字句）

What should you say in the following situations（using 把-sentences）

(1) 你买了一幅画，想挂在屋子里，你怎么和家人商量挂在什么
地方？

(2) 你想借你同学的手机用一下，怎么对他说？

(3) 你在旅馆，要去住的房间，让服务员搬箱子到房间去。

(4) 你想买一个手机，让营业员拿给你看看。

(5) 玛丽要去医院看安娜，你想请玛丽带一束（shù：bunch）鲜
花儿给她。

(6) 在出租车里，你告诉司机在你的宿舍门口停车。

10 读后说　Read and express

　　爸爸带着三岁的儿子坐火车去看奶奶。在火车上，儿子喜欢把头伸到窗外去。爸爸对他说："儿子，小心点儿，别把头伸到窗外去。"可是男孩不听爸爸的话，还是把头伸到窗外。这时爸爸悄悄地把儿子的帽子摘了下来，放在自己身后，然后对他说："你看，风把你的帽子刮跑了。"儿子急得哭了，哭着要他的帽子。

　　爸爸说："好，你对着窗口吹一口气，帽子就回来了。"

　　儿子就对着窗口吹了一口气，爸爸很快把帽子戴到他的头上。

　　儿子笑了，他想，这太有意思了，就一下子把爸爸的帽子摘了下来，扔到车窗外边去了，然后高兴地对爸爸说："爸爸，快！现在该你吹气了。"

补充词语　Supplemen fary words		
伸	shēn	to strench out
悄悄	qiāoqiāo	sneakly
帽子	màozi	hat
摘	zhāi	to take off; to remove
吹气	chuī qì	to give a puff

11 写汉字　Learn to write

联	耳	联							
置	罒	罜	罢	罘	罥	罥	罥	罥	置

诉	丶	讠	诉	诉					
管	ノ	⺮	竹	竿	管				
理	王	理							
擦	一	扌	扩	扩	扩	挼	挼	挼	擦
圆	丨	冂	圆	圆					
板	木	板							
窗	丶	宀	宀	灾	空	空	空	窗	窗
祥	丶	礻	礻	祥	祥				
旺	日	旺							
幸	士	圭	幸	幸					
福	丶	礻	礻	礻	礻	神	福		

第十三课 | 请把护照和机票给我

一 课文 Kèwén ● Text

（一）请把护照和机票给我

（关建平和妻子夏雨一起坐飞机去国外旅行，夏雨是第一次乘飞机……）

关建平：（对夏雨）我们先去办理登机手续，把行李托运了。

服务员：请把护照和机票给我。哪个箱子要托运？把它放上去吧。这是登机牌，请拿好。

关建平：谢谢。

……

（夏雨通过安全检查门时，安全检查门发出响声……）

服务员：你口袋里装的是什么？

夏　雨：没有什么呀！

服务员：请把口袋里的东西都掏出来。

夏　雨：啊，是几把钥匙和两个硬币。

服务员：好了。请进去吧。

（在飞机上）

关建平：把手提包放进行李箱里去吧。

夏　雨：等一下儿，先把相机拿出来，我想在飞机上照两张
　　　　照片。

（关建平把相机从手提包里拿出来）

关建平：给你。对了，相机里还没有电池呢，我先把电池装上。
　　　　……

（二）　你把灯打开

（夏雨把小桌下边的画报抽出来看）

夏　雨：这里边有点儿暗。

关建平：你把灯打开。

夏　雨：开关在哪儿呢？

关建平：在座位的扶手上。

空　姐：飞机马上就要起飞了，请把安全带系好，把手机关上
　　　　……

夏　雨：我还不会系安全带呢。

关建平：把这个插头往里一插就行了。

夏　雨：怎么打开呢？

关建平：把卡子扳一下儿就打开了。

夏　雨：啊，打开了。你看，咖啡都凉了，快把它喝了吧。

（关建平把小桌下边的画报抽出来，不小心把杯子碰倒了）

夏　雨：哎呀！

关建平：怎么了？

夏　雨：你把杯子碰倒了，咖啡全洒了。

关建平：快拿纸把它擦擦。

……

二　生词 Shēngcí New Words ·····························

1. 国外	（名）	guówài	overseas；abroad
2. 乘	（动）	chéng	to ride in；to travel by
3. 办理	（动）	bànlǐ	to handle；to go through
4. 登机		dēng jī	to board a plane
5. 手续	（名）	shǒuxù	procedures；formalities
6. 行李	（名）	xíngli	baggage；luggage
7. 托运	（动）	tuōyùn	to consign for shipment；to check
8. 机票	（名）	jīpiào	air ticket
票	（名）	piào	ticket
9. 登机牌	（名）	dēngjīpái	boarding card
10. 通过	（动）	tōngguò	to pass through
11. 安全	（形、名）	ānquán	safe；safety
12. 发	（动）	fā	to produce（sound，etc.）
13. 响声	（名）	xiǎngshēng	sound；noise

14.	装	（动）	zhuāng	to install; to pack; to hold
15.	硬币	（名）	yìngbì	coin
16.	掏	（动）	tāo	to draw out; to pull out; to fish out
17.	画报	（名）	huàbào	pictorial
18.	暗	（形）	àn	dim; dark
19.	开关	（名）	kāiguān	switch
20.	扶手	（名）	fúshǒu	armrest
21.	空姐	（名）	kōngjiě	air hostess
22.	起飞	（动）	qǐfēi	to take off
23.	系	（动）	jì	to button up; to tie; to fasten
24.	安全带	（名）	ānquándài	safety belt; seat belt
	带	（名）	dài	belt
25.	卡子	（名）	qiǎzi	buckle
26.	扳	（动）	bān	to change the direction of a fixed object; to turn
27.	插头	（名）	chātóu	plug
28.	凉	（形）	liáng	cool
29.	小心	（形、动）	xiǎoxīn	cautious; to be careful
30.	杯子	（名）	bēizi	cup
31.	洒	（动）	sǎ	to spill

专名 Zhuānmíng **Proper Name**

关建平　Guān Jiànpíng　Guan Jianping（name of a Chinese）

三 注释 Zhùshì ● Notes

没有什么呀 There isn't anything（particular）

句中的"什么"不表示疑问而表示不肯定的事物。

"什么" in this sentence does not express inquisitiveness，but refers to something the speaker is not sure of.

四 语法 Yǔfǎ ● Grammar

把字句（2） 把-sentence（2）

使用"把"字句的要求 Some conditions for using the 把-sentence

① 主语一定是谓语动词所示动作的发出者。例如：

The subject must be the agent of the act the predicate indictes，e. g.

（1）我把照相机给姐姐了。（"照相机"是"我""给"姐姐的。）

（2）她把药喝了。（"药"是"她""喝"的。）

② "把"的宾语同时也是谓语动词涉及的对象，而且必须是特指的。这种特指可以是明指，也可以是暗指。所谓"明指"是宾语前有"这"、"那"或定语等明显的标记；暗指是宾语前没有这些标记，但在说话人脑子里想的是特定的人或物，在一定的语境中，听话人清楚说话人的所指。例如：

The object of "把" must be at the same time the recipient of the act the predicate indicates，and must be definite，i. e. with a specific reference. This specific reference may be clearly stated by using the determiners "这" and "那" or an attribute before the object，or implied，i. e. the speaker，as well as the listener，knows exactly what is being referred to in the context，e. g.

（3）你把昨天的作业做完了吗？

（4）你把护照和机票给我。

3. 动词后面一定有其他成分，说明动作产生的结果或影响。所谓"其他成分"是指：了、重叠动词、动词的宾语和补语等。例如：

There must be some other elements following the verb to indicate the result or effect of the act. These "other elements" may be 了, a reduplicated verb, the object and complement of the verb, etc. , e. g.

（5）把要托运的行李放上来吧。

（6）请把窗户开开。

（7）你把卡子按一下儿。

（8）我把桌子擦擦。

4. 否定副词"没（有）"或能愿动词应放在"把"的前边，不能放在动词的前边。例如：

The negation adverb "没（有）" and modal verbs are placed before "把". They cannot be placed before the verb, e. g.

（9）你没把口袋里的东西都掏出来。

　　不能说：＊你把口袋里的东西没都掏出来。

（10）你要把口袋里的东西都掏出来。

　　不能说：＊你把口袋里的东西要都掏出来。

五 练习 Liànxí ● Exercises ·················

1 语音 Phonetics

（1）辨音辨调 Pronunciations and tones

jīpiào	xìpiào	tuōyùn	duōyún
xíngli	xīnlǐ	dēng jī	dēngjì
shǒuxù	shǒuxí	jiǎnchá	jiānchá

（2）朗读 Read out the following phrases

把空调开开　　　把电视开开　　　把窗户开开

把手机开开	把安全带系好	把领带系好
把护照放好	把衣服穿好	把机票给我
把书给我	把作业给我	把钱给我
把箱子放上去	把行李放上去	把相机拿出来
把手机拿出来	把电池装上	把衣服穿上
把相机拿上	把伞带上	把卡子扳一下儿
把门关一下儿	把杯子碰倒了	把自行车碰倒了

2 替换 Substitution exercises

(1) 把机票和护照给我。

作业本	老师
那件礼物	安娜
这件红毛衣	妹妹
这本词典	弟弟
这张照片	朋友

(2) 请把灯开开。

窗户	打开
箱子	打开
电视	打开
手机	关上
空调	关上

(3) A：你把电池 装上 了没有？

   B：还没有呢。

作业	做完
晚饭	做好
行李	准备好
插头	插上
生词	记住

(4) 快把<u>咖啡</u>喝了吧。

作业	做
衣服	洗
药	吃
这本书	还
这些美元	换

(5) 把<u>卡子</u> <u>扳</u>一下儿。

这张报	看
门	关
这件衣服	洗
今天的生词	预习
昨天的语法	复习

(6) A：你把<u>照相机</u> <u>拿出来</u>了没有？

B：没有。（我没有把<u>照相机</u> <u>拿出来</u>。）

机票	放进去
插头	插进去
包裹	取回来
信	发出去
手机	拿出来

③ 选词填空 Choose the right words to fill in blanks

登机　放　装　倒　出来　系　屋子　插　把

(1) 请＿＿＿＿＿＿机票和护照给我看一下儿。

(2) 把要托运的行李＿＿＿＿＿＿上去吧。

(3) 先生，请把＿＿＿＿＿＿牌拿出来。

(4) 小心，别把茶杯碰＿＿＿＿＿＿了。

(5) 帮我把手机从提包里拿＿＿＿＿＿＿。

(6) 我给你把电池＿＿＿＿＿＿上。

(7) ＿＿＿＿＿＿里有点儿热，快把空调开开吧。

(8) 飞机要起飞了，请大家把安全带＿＿＿＿＿＿上。

(9) 把这个插头＿＿＿＿＿＿进去就行了。

④ 填上合适的动词或补语 Fill in blanks with proper verbs or complements

(1) 你把这几件衣服给我洗＿＿＿＿＿＿。

(2) 师傅，请把这辆车＿＿＿＿＿＿。

(3) 希望大家把新课＿＿＿＿＿＿。

(4) 你要想办法把他找＿＿＿＿＿＿。

（5）我已经把那本书＿＿＿＿＿＿＿图书馆了。

（6）我把手提包放＿＿＿＿＿＿＿了。

（7）你去银行把这些钱取＿＿＿＿＿＿＿。

（8）请把这张桌子搬到楼＿＿＿＿＿＿＿。

（9）A：你把机票订＿＿＿＿＿＿＿了吗？

　　　B：还没有呢。

（10）A：你把作业＿＿＿＿＿＿＿老师了没有？

　　　　B：我昨天就＿＿＿＿＿＿＿了。

5 把括号里的词语加在适当的位置上

Put the words given in the brackets in the proper place

（1）A 他 B 没把我的车 C 修好呢，我们打的 D 去吧。　　（还）

（2）A 我 B 把这件事 C 告诉他，你也别 D 告诉他，好吗？（不想）

（3）生词 A 这么多，我不知道 B 才能 C 把这些生词 D 都记住。

　　　　　　　　　　　　　　　　　　　　　　　　（怎样）

（4）接到电话以后，他就开 A 车到 B 机场 C 接朋友去 D。（了）

（5）我 A 把今天的课文 B 再 C 复习复习，有的地方我 D 还不太

　　懂。　　　　　　　　　　　　　　　　　　　　　（想）

（6）现在 C 把书 D 打开，请 A 先 B 听我说。　　　　　（不要）

6 用"把"字句完成会话　Complete the dialogue with "把" sentence

（1）A：安全带怎么系？

　　　B：＿＿＿＿＿＿＿。

（2）A：照相机里的电池没电了。

　　　B：＿＿＿＿＿＿＿。

（3）A：把酒杯碰倒了，酒洒了一桌子。

B：没关系，_____。

(4) A：空调开得太大了，我觉得有点儿冷。

　　B：_____。

(5) A：外边刮大风了。

　　B：窗户还开着呢。_____。

7 把下列肯定句改成否定句　Change the following into negative sentences

例：我把衣服洗完了。

→ 我没把衣服洗完。/我还没把衣服洗完呢。

(1) 我把伞放在车里了。

_____

(2) 她把电脑关上了。

_____

(3) 我已经把书还给图书馆了。

_____

(4) 我记得你已经把手机拿出来了。

_____

(5) 我已经把那些照片寄回去了。

_____

(6) 我把钥匙从车上拔下来了。

_____

(7) 他把相机忘在家里了。

_____

(8) 他们已经把鲁迅的这篇小说拍成电影了。

_____

8 改错句　Correct thesentences

(1) 请你把一本画报给我看看。

_____

(2) 以前我没把天安门看见过。

_____

(3) 外边很冷，快把大衣穿穿。

_____

(4) 我来中国以后，很把朋友想。

_____

(5) 他把五瓶啤酒能喝完。

_____

(6) 你知道，我很把我的狗喜欢。

_____

(7) 我看见玛丽把宿舍进去了。

_____

(8) 我没把中国来以前不会说汉语。

_____

9 遇到下列情景用"把"字句怎么说

What should you say in the following situations（Using"把"sentences）

(1) 屋子里太热，你想请服务员把空调开开。

(2) 老师要你把作业本子给他，你还没有做完，怎么对老师说？

(3) 你去银行换钱，小姐问你换什么钱，你怎么说？

(4) 在火车上，一位老人想把他的提包放在行李架上，但他自己不能放上去，你要帮助他，怎么说？

找　钱

下班以后，天都快黑①_____，我想顺便买点菜带回家，就向一个菜摊走去。卖菜的是一个小伙子。问了价钱以后，我拿起一把菜，对他说："②_____这些菜给我称一下儿。"

"您给三块吧！"他称了以后说。

"给，找吧。"我给了他一张十元的钱。

"您没零钱吗？"他问。

"没有了，就这一张。"

他找了半天，才把一把零钱放③_____我手里说："您数一数够吗？"

我接过钱没有数，往口袋里一塞，拿起菜，骑上车就走了。

骑了一会儿，我忽然觉得不对，就想，他找了我多少钱啊，我从车上下④_____。从口袋里把钱拿出来认真地数⑤_____数，小伙子找我了97元，多找给我90块钱。

还回去不回去呢？已经走这么远了……

就在我这么想的时候，脸上马上觉得发热。我怎么会有这种不好的想法，我的心也变坏了吗？

想到这儿，就立刻骑上车回去找那个卖菜的小伙子。

天已经黑了。我远远看见那个小伙子正准备走，就跑过去⑥_____他叫住："喂，等一下。"

"怎么了？"小伙子问我。

"你把钱找错了。"

"少找了吗？"

"不，你多找了。"

"不会吧？"

"怎么不会呢，你把我给你的十块钱看⑦_____一百块的了。"我说，"给，这是你多找的九十块钱。"我把多找的钱还给他。

他有点儿不太相信地把钱接过⑧_____，很快，就感激地对我说："谢谢了！大哥，谢谢你了！你真是好人。"

我没有说话，骑上车就走了。这时，我心里才觉得轻松了。

补充生词　Supplementary words

1.	价钱	jiàqián	price
2.	称	chēng	weigh
3.	零钱	língqián	small change
4.	塞	sāi	fill in
5.	相信	xiāngxìn	believe
6.	感激	gǎnjī	be thankful
7.	轻松	qīngsōng	light；not feel nervous

---

11 写汉字　Learn to write

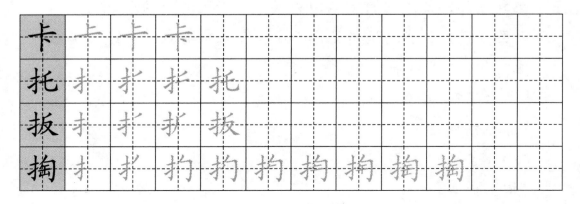

票	一	一	西	西	西	西	覀	覀	票	票
乘	一	一	千	千	千	壬	乖	乘	乘	乘
登	𠃊	癶	癶	癶	癶	登	登	登	登	
续	纟	纠	纺	续						
顶	一	丁	丆	丆	㣺	顶	顶	顶		
牌	ノ	丿	片	片	牌	牌	牌	牌		
洒	氵	洒								
调	讠	讱	讱	调	调					

Lesson 14

第十四课	我的腿被自行车撞伤了

一 课文 Kèwén ● Text ···

（一）我的腿被自行车撞伤了

罗兰：你的腿怎么了？

玛丽：星期天我骑车上街的时候，被一个小伙子撞倒了，从车上摔下来把腿摔伤了。

罗兰：要紧吗？

玛丽：流了一点儿血，不要紧。

罗兰：还疼吗？

玛丽：还有点儿疼。

罗兰：伤着骨头了没有？

玛丽：我被撞倒后，小伙子马上叫了辆出租车，把我送到了医院。大夫给我检查了一下，还好，没伤着骨头。

罗兰：那个小伙子是哪儿的？

玛丽：是外语大学的学生。昨天他还来看过我。他也觉得挺不好意思的。我说，没什么，你又不是故意的。

罗兰：街上人多车也多，骑车上街的时候，一定要特别小心。

玛丽：可不是！

（二）钱包让小偷偷走了

（大山遇到了不少倒霉事……）

大　山：真倒霉！

爱德华：怎么了？

大　山：唉，别提了，我的钱包让小偷偷走了。

爱德华：丢了多少钱？

大　山：钱不多，才几十块钱。但我最近遇到好几件倒霉事了。

爱德华：都遇到什么倒霉事了？

大　山：我刚买了一辆自行车，就叫人骑走了，到现在也没送回来。

爱德华：你还等着给你送回来呀？

大　山：上星期跟朋友一起去长城，出发时天气好好的，没想到，刚到就下雨了。雨下得还特别大，我们又没带雨伞，个个都淋得像落汤鸡似的，衣服全都湿透了。前天我坐出租车要去"首都剧场"，差点儿被司机拉到"首都机场"。他说我的音发得不准，把"剧场"说成"机场"了。你说可气不可气？

爱德华：怎么倒霉的事都让你碰上了？

大　山：所以，前几天我遇到一个算命的，就叫他给我算了一下。

爱德华：结果怎么样？

大　山：他说我今年运气不太好，明年就好了。为了感谢他，我给了他一百块钱。朋友们都说我傻，花钱受骗。没想到，那天跟大家一起去爬山，因为在山上抽烟，又被公园管理员罚了五十块钱。你说倒霉不倒霉？

爱德华：要是山上的树被你烧着，就更倒霉了。

大　山：你说得也对。所以从下星期起，我决定把烟戒掉，不抽了。

爱德华：为什么从下星期开始呢？

大　山：我的烟还能抽到下星期，要是不抽完就浪费了。

二　生词 Shēngcí ● New Words

1. 腿	（名）	tuǐ	leg
2. 上街		shàng jiē	to go to the street
3. 被	（介）	bèi	by
4. 撞	（动）	zhuàng	to knock; to collide
5. 倒	（动）	dǎo	to fall; to topple; to tumble down
6. 伤	（动）	shāng	to hurt; to wound
7. 流	（动）	liú	to shed; to flow
8. 血	（名）	xiě	blood
9. 要紧	（形）	yàojǐn	serious
不要紧		bú yàojǐn	not serious; it doesn't matter; never mind
10. 骨头	（名）	gǔtou	bone

11. 不好意思		bù hǎo yìsi	to feel embarrassed
12. 故意	（副）	gùyì	on purpose
13. 唉	（叹）	ài	(expressing sadness or regret)
14. 钱包	（名）	qiánbāo	wallet; purse
15. 让	（介）	ràng	by
16. 小偷	（名）	xiǎotōu	thief
17. 偷	（动）	tōu	to steal
18. 遇到	（动）	yùdào	to come across; to run into
19. 叫	（介）	jiào	by
20. 淋	（动）	lín	to pour; to drench
21. 落汤鸡	（名）	luòtāngjī	(of a person) like a drenched chicken; to be soaked through
22. …似的	（助）	shìde	like…; as if
23. 湿	（形）	shī	wet; moist; damp; humid
24. 透	（形）	tòu	completely; to the extreme
25. 首都	（名）	shǒudū	capital (of a country)
26. 剧场	（名）	jùchǎng	theater; odeum
27. 司机	（名）	sījī	driver
28. 拉	（动）	lā	to pull; to transport
29. 机场	（名）	jīchǎng	airport; airfield
30. 可气	（形）	kěqì	annoying
31. 算命		suàn mìng	to tell sb's fortune (superstition)
32. 运气	（名）	yùnqi	luck
33. 傻	（形）	shǎ	brainless; foolish; stupid
34. 花	（动）	huā	to spend
35. 受骗		shòu piàn	to be deceived (or fooled; cheated;

			taken in)
受	（动）	shòu	to receive; to suffer
骗	（动）	piàn	to cheat
36. 抽烟		chōu yān	to smoke
37. 罚	（动）	fá	punish; fine
38. 烧	（动）	shāo	to set fire to; to burn; to cook; to heat
39. 戒烟		jiè yān	to give up smoking
40. 浪费	（动）	làngfèi	to waste

专名 Zhuānmíng **Proper name**

大山	Dàshān	Dashan（name of a person）

三 注释 Zhùshì ⬤ Notes ··

（一）还好，骨头没被撞伤 I was lucky, my bone was not hurt.

副词"还"用在形容词前，表示从好的方面说，情况或程度勉强过得去。

The adverb "还" is used before an adjective to mean a certain condition or degree is passable, considered positively, e. g.

（1）A：最近身体怎么样？

B：还好。

（2）屋子不太大，打扫得还干净。

（二）钱不多，才几十块钱 not too much, only a few tens

副词"才"还可以表示数量小，次数少。

The adverb "才" may also emphasize limitedness in number, quantity, and number of times.

（1）我们班才五个女同学。

（2）我才去过两次。

（三）你说倒霉不倒霉？ Don't you think I was unlucky?

汉语用"你说"加一个问句，表示征询对方的意见。

"你说" plus a question indicates an inquiry of the other side's opinion.

（四）可气不可气 Isn't it annoying

"可"是前缀。"可＋动词"，表示应该、值得，构成形容词。与表示心理状态的单音节动词组合。例如：

"可" is a prefix. "可 + Verb" means "should", worth（doing）. It can be combined with monosyllabic verbs describing psychological states to form adjectives, e. g.

可气、可喜、可怕、可爱、可笑、可疑

四 语法 Yǔfǎ ● Grammar ....

（一）被动意义的表达："被"字句 Indicating passive meaning：被-sentence

"被"字句是介词"被"及其宾语作状语来表示被动意义的动词谓语句。

A 被-sentence is used to express a passive meaning, with the preposition "被" and its object as adverbial in the sentence.

"被"字句的结构形式是：

The structure of a "被" sentence is:

> 主语 + 被（叫/让）+ 宾语 + 动词 + 其他成分
> Subject + 被（叫/让）+ Object + Verb + Other elements

(1) 我的钱包被小偷偷走了。

(2) 我的自行车叫麦克骑去了。

(3) 我的照相机让弟弟摔坏了。

(4) 她的骨头没有被撞伤。

不需强调施事者时，"被"字的宾语可以省略。例如：

When the agent of an act needs not be emphasized, the object of "被" may be omitted, e. g.

(5) 我的钱包被偷了。

(6) 他被淋成了落汤鸡了。

口语中，一般用介词"让"、"叫"、"给"来替代"被"。用"让"、"叫"时，后边必须有宾语（施事者）。例如：

In spoken language "被" is often replaced by the prepositions of "让", "叫" and "给". When "让" and "叫" is used, the object (agent) must be given, e. g.

(7) 我的词典叫玛丽借去了。

   不能说：＊我的词典叫借去了。

(8) 我的车让弟弟开走了。

   不能说：＊我的车让开走了。

否定副词或能愿动词要放在"被（叫、让）"的前面，不能放在动词的前面。否定句尾，不允许出现"了"。例如：

The negation adverbs and modal verbs are placed before "被（叫，让）"; they cannot be placed after the verb. In a negative sentence, "了" is not allowed to appear at the end of the sentence, e. g.

(9) 还好，骨头没有被车撞伤。

不能说：＊还好，骨头被车没有撞伤了。

(10) 我的车没有叫他借走。

不能说：＊我的车叫他没有借走。

（二）又　again

副词"又"强调否定的语气。例如：

The adverb "又" connotes an emphatic tone of negation, e. g.

(1) 你又不是故意的。

(2) 雨下得特别大，我们又没带雨伞。

五　练习 Liànxí ● Exercises ···

1 语音　Phonetics

(1) 辨音辨调　Pronunciations and tones

gǔtou	kǔtóu	xiǎoxīn	xiàoxīn
yùdào	yǔdiào	kěqì	kèqi
yùnqi	yìqǐ	chōu yān	shǒuxiān

(2) 朗读　Read out the following phrases

丢了钱包　　丢了东西　　丢了护照　　丢了自行车
浪费钱　　　浪费时间　　浪费水　　　浪费电
差点儿撞伤　差点儿撞坏　差点儿丢了　差点儿忘了
被人偷了　　被人骗了　　让车撞了　　让雨淋了
淋得像落汤鸡似的　　　　暖和得像春天似的

2 替换 Substitution exercises

(1) A：怎么了？

B：我的腿被自行车撞伤了。

眼镜让我摔坏

钱包让小偷偷走

汽车让人撞坏

衣服被雨淋湿

咖啡让我碰洒

(2) A：骨头被撞伤了没有？

B：没有。（骨头没被撞伤。）

头	撞伤
腿	撞伤
汽车	撞坏
钱	偷走
手机	摔坏

(3) A：把你的车借给我用用，好吗？

B：对不起，我的车叫朋友骑去了。

相机	拿走
汽车	开走
摄像机	拿走
手机	借去
词典	借去

(4) A：听说<u>他被公司派到中国去工作了</u>。

B：是。

她被学校送到国外去留学

他被送到医院去

他被自行车撞伤

麦克的钱包被小偷偷走

这本小说被拍成电影

这本小说被翻译成英文

3 选词填空 Choose the right words to fill in blanks

故意　偷　淋　要紧　骗　丢　罚　叫　撞　给

(1) 真倒霉，刚买的自行车就被小偷＿＿＿＿＿＿走了。

(2) 因为没带雨伞，被＿＿＿＿＿＿得象落汤鸡似的。

(3) 因为行李超重（chāozhòng：overweight），被机场＿＿＿＿＿＿
了一百多块钱。

(4) A：真对不起！

B：没什么，你又不是＿＿＿＿＿＿的。

(5) A：你的腿怎么了？

B：让自行车＿＿＿＿＿＿了一下。

(6) A：她的伤＿＿＿＿＿＿吗？

B：不要紧，骨头没被碰伤。只是流了一点儿血。

(7) 他被那个算命的＿＿＿＿＿＿走了一百块钱。

(8) A：你的提包呢？

B：提包让我不小心＿＿＿＿＿＿了。

(9) A：把你的车借＿＿＿＿＿＿＿＿＿我用用好吗？

B：我的车＿＿＿＿＿＿＿＿＿张东借去了。

④ 用"被、叫、让"改写下列句子

Rewrite the following sentences with "被""叫" and "让"

(1) 一个姑娘捡到我的钱包以后，给我送来了。

＿＿＿＿＿＿＿＿＿＿＿＿＿＿＿＿＿＿＿＿

(2) 他不小心把杯子打碎了。

＿＿＿＿＿＿＿＿＿＿＿＿＿＿＿＿＿＿＿＿

(3) 大风把树上的苹果刮掉了。

＿＿＿＿＿＿＿＿＿＿＿＿＿＿＿＿＿＿＿＿

(4) 风把这棵小树都刮倒了。

＿＿＿＿＿＿＿＿＿＿＿＿＿＿＿＿＿＿＿＿

(5) 玛丽把我的书借去了。

＿＿＿＿＿＿＿＿＿＿＿＿＿＿＿＿＿＿＿＿

(6) 她把那些旧杂志都卖了。

＿＿＿＿＿＿＿＿＿＿＿＿＿＿＿＿＿＿＿＿

⑤ 遇到下列情况时怎么说（用上"被/叫/让"）

What should you say in the following situations（using "被"，"叫" or "让"）

(1) 下课后，你发现同桌把你的书拿走了，把他的书给你留下了。

(2) 滑冰时把腿摔伤了，同学问你怎么了。

(3) 不小心把杯子碰到地上摔破了，妈妈问你，你怎么回答？

(4) 去看电影时才发现把票忘在家里了。朋友问你，你怎么说？

(5) 朋友从外边回来，衣服都被淋湿了，你请他把衣服换下来，怎么说？

6 改错句 Correct the sentences

(1) 我的衣服都让雨湿了。

_____

(2) 真对不起，你的照相机让我坏了。

_____

(3) 他的自行车被我买了。

_____

(4) 我也差点儿被自行车撞。

_____

(5) 钥匙被我忘拔下来了。

_____

(6) 我们班好几个同学都被感冒了。

_____

(7) 我们刚到公园就被天下雨了。

_____

(8) 今天的作业被我没做完。

_____

7 综合填空 Fill in the blanks

我被解雇了

"你还①_____那家花店工作吗?"

"不了，我②_____老板炒鱿鱼了。"

"为什么?"

"每次给人家送花之前，我得在每束花里放上一③_____卡
片，上次，我把两张卡片放错了。"

"你是怎么放④_____?"

"我⑤_____送到婚礼上去的花里放上了一张'致以深深的哀

悼'；而那张新婚贺卡却被我放到了送给葬礼的花里去了。"

"上面写的什么？"

"祝你们⑥_____新的家幸福快乐！"

补充生词　Supplementary words

1. 解雇	jiěgù	to fire；to discharge
2. 炒鱿鱼	chǎo yóuyú	(of squid) roll up when being cooked, like rolling up one's quit to prepare for departure；to be fired；be sacked
3. 卡片	kǎpiàn	card
4. 哀悼	āidào	to lament for sb. s' death；to feel and show grief for
5. 葬礼	zànglǐ	funeral

---

8 读后说　Read and express

去医院看朋友

已经好几天没看见李美英来上课了。听玛丽说她住院了。我忙问，她得了什么病？玛丽说，她得了重感冒，上星期就住院了。

今天下午，我和玛丽带着鲜花和水果坐车去看她。

一走进病房，就看见李美英正躺着看书呢。病房里很干净，也很安静。桌子上摆着一个花瓶，花瓶里插着一束鲜花。花瓶旁边放着一本汉语词典。

看见我们进来，李美英很快地从床上坐起来，笑着说："谢谢你们来看我。"

我问："好点儿了吗？"

她说："好多了。已经不发烧了。"

"吃东西怎么样?"

"还好。不过,我不太习惯这儿的饭菜,油太多。"

我说:"你真用功,病着还这么努力地学习。"

她问我们:"今天学到十四课了吧?"

"十四课已经学完了,该学十五课了。"

她说:"我真想今天就出院。可是大夫说最少还要休息一个星期。真急人!"

"不用着急,还是要听大夫的话,好了再出院。"

李美英说:"老师昨天下午也来看我了,还带来了给我做的面条,老师说,我出院后,给我补课。"

快五点了,我们对李美英说:"我们该走了,你好好休息吧!"她要下楼送我们,我说:"你快回去吧,小心别再着凉!"她拉着我们的手说:"谢谢你们来看我!"

下了楼,我回过头去看时,见她还在阳台上站着,挥手向我们告别。

⑨ 写汉字　Learn to write

被	衤	衤	衤	衤	衤	袖	袖	被		
似	亻	亻	似	似						
骨	丨	冂	冎	冎	骨					
紧	丨	刂	坚	坚	坚	紧	紧			
伤	亻	伫	伤	伤						

腿	月	肌	肥	肥	腗	腿	腿	腿			
街	彳	彳	徍	街	街	街					
偷	亻	价	价	偷	偷	偷					
骗	马	马	驴	驴	驴	驴	骗	骗	骗		
浪	氵	氵	沪	沪	浪	浪	浪				
费	一	二	弗	弗	弗	弗	费				
遇	日	旵	禺	禺	禺	禺	遇				
傻	亻	亻	亻	佁	傻	傻	傻	傻	傻		
罚	丶	罒	罒	罒	罒	罚	罚	罚			
戒	一	二	开	开	戒	戒	戒				

第十五课	京剧我看得懂，但是听不懂

■ 课文 Kèwén ● Text ··································

（一）京剧我看得懂，但是听不懂

玛丽：你看过京剧吗？

山本：看过一次。

玛丽：看得懂吗？

山本：看得懂，但是听不懂。看了演出能猜得出大概的意思。

玛丽：我也是，一点也听不懂演员唱的是什么，只是觉得很
　　　热闹。

山本：我觉得京剧唱得特别好听，武打动作也很精彩。我还喜
　　　欢京剧的脸谱，京剧用各种脸谱来表现人物的社会地位
　　　和性格，十分有趣。

玛丽：京剧的服装也很美，我想买一套带回国去。

山本：你怎么这么喜欢京剧呢？

玛丽：我受中文老师的影响，他是一个京剧迷。我想，京剧是

中国的传统艺术，要把汉语学好，也应该多了解一些中国文化。

山本：要是有时间的话，咱们一起去看一次，好吗？

玛丽：好啊。

（二）她有事，去不了

昨天我给山本打电话，约她晚上一起去看京剧。但是她说晚上有事，去不了。所以我们就决定今天晚上去。

我们是下午五点半出发的。正是上下班时间，路上人多车也多。公共汽车上不去，我们只好打的。我担心买不到票，山本说，票好买，肯定买得到。

山本希望能买到前十排的。因为她的眼睛不太好，坐得太远看不清楚。但是，前十排的票都卖完了，没买到，我们买的是十二排的。

这个剧场不大，估计坐不下一千人。离开演还有十多分钟，人差不多都坐满了。

我买了一张说明书。上面全是中文，没有英文，我看不懂。山本看了看说："这是一个古代神话故事。说的是天上一个仙女，很羡慕人间的生活，就偷偷来到人间，跟一个小伙子结了婚。后边的内容我也看不懂。不过，不用担心，看不懂说明书，一定看得懂表演。"

看完以后，我大概看懂了这个故事。我对山本说，以后周末，我们还来看吧，京剧真有意思。

1. 演出	（动、名）	yǎnchū	to perform; performance
2. 猜	（动）	cāi	to guess
3. 演员	（名）	yǎnyuán	actor; actress
4. 武打	（名）	wǔdǎ	acrobatic fighting
5. 动作	（名）	dòngzuò	movement; motion
6. 精彩	（形）	jīngcǎi	wonderful
7. 脸谱	（名）	liǎnpǔ	facial makeup
8. 表现	（动）	biǎoxiàn	to show; to display; to manifest
9. 人物	（名）	rénwù	character
10. 社会	（名）	shèhuì	society
11. 地位	（名）	dìwèi	status
12. 性格	（名）	xìnggé	temperament; disposition; character
13. 十分	（副）	shífēn	quite
14. 有趣	（形）	yǒuqù	interesting; amusing
15. 服装	（名）	fúzhuāng	clothing
16. 影响	（动、名）	yǐngxiǎng	to influence; influence
17. 传统	（名、形）	chuántǒng	tradition; traditional
18. 艺术	（名）	yìshù	art
19. 了解	（动）	liǎojiě	to understand; to comprehend
20. …的话	（助）	dehuà	(used at the end of a conditional clause)

21.	约	（动）	yuē	to make an appointment in advance; to invite in advance
22.	了	（动）	liǎo	to finish; to end; to complete (used in conjunction with 得 or 不 after a verb to express possibility)
23.	决定	（动、名）	juédìng	to decide; decision
24.	上下班		shàng xià bān	to go to work and get off work
25.	担心		dān xīn	to be anxious about; to take sth. to heart; to worry oneself about
26.	肯定	（形、动）	kěndìng	definitely; to affirm; to confirm
27.	排	（量）	pái	(classifier) row; line
28.	估计	（动）	gūjì	to reckon; to estimate
29.	下	（动）	xià	(used after a verb) indicating room or space
30.	开演	（动）	kāiyǎn	(of play; movie, etc.) to begin
31.	满	（形）	mǎn	full; filled
32.	说明书	（名）	shuōmíngshū	manual; brochure
	说明	（名、动）	shuōmíng	explanation; to explain; to illustrate
33.	古代	（名）	gǔdài	ancient
34.	神话	（名）	shénhuà	mythology; myth
35.	天上	（名）	tiānshàng	sky; heaven
36.	仙女	（名）	xiānnǚ	angel; female celestial

37. 羡慕	（动）	xiànmù	to admire；to envy
38. 人间	（名）	rénjiān	world；human world
39. 偷偷	（副）	tōutōu	stealthily；do a thing covertly
40. 内容	（名）	nèiróng	content；essence

三 注释 Zhùshì ● Notes

（一）脸谱 facial makeups

中国京剧和其他戏曲中角色脸上画的各种图案，用来表现人物的性格和特点。

The characters in Peking Opera and other forms of Chinese drama have various patterns painted on their faces to show their temperaments and characteristics.

（二）古代 ancient times

距离现在较远的时代。区别于"近代"和"现代"。汉语里"古代"指1840以前，"近代"指1840～1919年，"现代"则指1919～1949年，"当代"指目前这个时代。

The distant past from now. It is distinguished from "modern times" and "the contemporary age". In Chinese "古代" refers to the years before 1840. "近代" refers to the years between 1840 - 1919. "现代" refers to the years between 1919 - 1949 and "当代" refers to the current era.

四 语法 Yǔfǎ ● Grammar

（一）可能补语（1） The complement of potentiality（1）

可能补语表示主客观条件能否允许进行某种动作或实现某种结果和变化。

A complement of potentiality indicates whether a condition（subjective or objective) allows an act to take place, or an effect or change to be realized.

肯定式：V＋得＋结果补语／趋向补语

The affirmative form：Verb＋得＋Complement of result／Complement of direction

(1) A：我们现在去买得到票吗？

　　B：别担心，买得到。

(2) A：晚上七点以前你回得来吗？

　　B：回得来。

否定式：V＋不＋结果补语／趋向补语

The negative form：Verb＋不＋Complement of result／Complement of direction

(3) A：今天的作业一个小时做得完吗？

　　B：今天的作业太多，一个小时做不完。

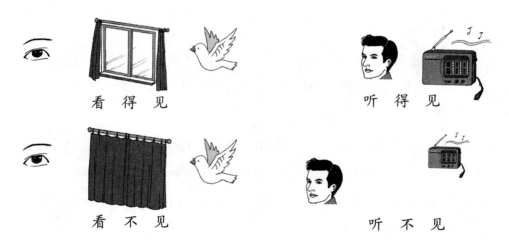

看　得　见　　　　　　　　　　听　得　见

看　不　见　　　　　　　　　　听　不　见

正反疑问句形式：肯定式＋否定式？

The affirmative-negative question form：Affirmative form＋Negative form？

(4) 老师的话你听得懂听不懂？

(5) 你不戴眼镜看得见看不见？

(6) 现在去，晚饭前回得来回不来？

交际中用得较多的是可能补语的否定形式。肯定形式主要用来回答可能补语的提问，表示不太肯定的推测。例如：

The negative form of the complement of result is used more often in daily communications. The affirmative form is mainly used to answer the questions posed by the complement and indicate a conjecture or an indirect negation, e. g.

（7）我一点儿也听不懂他唱的是什么。

（8）她晚上有事去不了。

（9）我的眼睛不太好，坐得太远看不清楚。

（10）A：这个故事你看得懂看不懂？

　　　　B：看得懂。

（11）我们去看看吧，也许买得到。

使用可能补语时要清楚主客观条件。例如：

When using the complement of potentiality, one must have clear knowledge about the conditions, e. g.

（12）我没有钥匙，进不去。

（13）作业不多，一个小时做得完。

动词带宾语时，可以放在补语后，也可以置于动词前作主语。不能放在动词和补语之间。

If the verb takes an object, the object can be placed after the complement or before the verb as a subject, but it cannot be placed between the verb and the complement.

（14）A：你听得懂老师的话吗？/老师的话你听得懂吗？

　　　　B：我听得懂。

（15）A：你看得清楚地图上的字吗？/地图上的字你看得清楚吗？

　　　　B：我没戴眼镜，看不清楚。

需要特别提醒的是：带可能补语的句子表示可能，所以不能用于"把"字句。

A special reminder: Sentence with complement of potentiality indicates only possibility; therefore, it cannot use 把 structure.

不能说： *我把老师的话听不懂。

*她把这个箱子提不动。

（二）动作能否发生或完成：动词＋得／不＋"了（liǎo）"

Indicating whether an act is able to take place or complete：Verb ＋得／不 ＋"了（liǎo）"

表示动作行为能否发生。例如：

Indicating whether an act is able to take place, e. g.

（1）A：明天参观，你去得了吗？

B：我明天有事，去不了。

（2）A：他自己走得了吗？

B：他腿摔伤了，自己走不了。

表示动作行为能否完成（"了"有"完"的意思）。

Indicating whether an act is able to finish. "了"conveys a sense of "完"（finish，complete，etc），e. g.

    （3）A：你吃得了这么多饺子吗？

           B：吃得了。/吃不了。

    （4）坐飞机去用不了三个小时就到了。

（三）空间能否容纳：动词＋得/不＋“下”

Whether the space is able to accommodate：Verb ＋得/不 ＋ “下”

    （1）A：这个剧场坐得下一千人吗？

           B：这个剧场太小，坐不下。

    （2）A：把我的毛衣装进去吧。

           B：这个包太小，毛衣太大了，装不下。

    比较：能愿动词“能”、“可以”和可能补语的用法

    Compare：The usage of the modal verbs “能”，“可以”and the complement of potentiality

    当表示行为者的自身能力或条件允许与否时，可以用“能/不能＋动”也可以用可能补语。例如：

    When indicating someone is able to do something, or a condition permits someone to do something, both “能/不能 ＋ Verb”and the complement can be used，e. g.

    （3）今天我有时间，能去。

        也可以说：今天我有时间，去得了。

    （4）今天我没有时间不能去。

        也可以说：今天我没有时间，去不了。

劝止某种动作行为发生时，只能用"不能＋动"的形式。

When trying to dissuade someone from doing something, we can only use the pattern "不能 + Verb".

（5）那儿太危险，你不能去。

不能说：＊那儿太危险，你去不了。

（6）这东西不是你的，你不能拿。

不能说：＊这东西不是你的，你拿不了。

当表示主客观条件不具备时，一般只用可能补语。

When indicating the conditions are not sufficient, we normally use the complement only.

（7）东西太多了，你拿不了。

不能说：＊东西太多了，你不能拿。

（8）屋子里太黑，我看不见。

不能说：＊屋子里太黑，我不能看见。

五 练习 Liànxí ● Exercises ··········

1 语音 Phonetics

（1）辨音辨调 Pronunciations and tones

dìwèi	tǐhuì	yǒuqù	yǒu qì
yìshù	yīshù	gūjì	gùjì
yǐngxiǎng	yìnxiàng	zhǐshì	zhīshi

（2）朗读 Read out the following phrases

看得见　看不见　听得懂　听不懂　看得清楚　看不清楚
去得了　去不了　吃得了　吃不了　来得了　来不了
买得到　买不到　做得到　做不到　看得到　看不到

坐得下　坐不下　装得下　装不下　放得下　　放不下

上得去　上不去　进得去　进不去　出得去　　出不去

2 替换　Substitution exercises

(1) A：你<u>看得懂</u><u>这个句子</u>吗？

　　B：<u>看得懂</u>。

听	懂	老师的话
看	懂	这篇课文
看	见	上面的字
听	见	我的声音

(2) A：你看得见<u>地图上</u>的字吗？

　　B：<u>我眼睛不好</u>，看不见／看不清楚。

前面的人	天太黑
前边那座桥	离得太远
这本词典上的字	字太小
说明书上的字	我没戴眼镜
那辆汽车	雾太大

(3) A：<u>火车票</u> <u>买</u>得到<u>买</u>不到？

　　B：<u>买</u>得到。

飞机票	买
张大夫	请
我要的光盘	找
这本书	借
中文广播	听

(4) A：上得去吗？

B：车上人太多，上不去。

进	没有钥匙
下	前边没有路
过	没有桥
出	前边堵车
回	买不到机票

(5) A：你去得了吗？

B：我有事，去不了。

来	我没有时间
吃	菜太多了
吃	菜太辣了
拿	东西太多
参加	我身体不舒服

(6) A：这个剧场 坐得下坐不下五百人？

B：这个剧场太小，坐不下。

这个教室	坐	二十个人
这个房间	住	两个人
那个屋子	放	这张桌子
这张纸	写	四个大字
这个书架	摆	这些书

3 选词填空 Choose the right words to fill in blanks

A. 肯定　影响　估计　性格　内容　只是　担心　艺术　武打
　　只好

(1) 我最喜欢看他演的＿＿＿＿＿＿片。

(2) 我喜欢她那活泼开朗的＿＿＿＿＿＿。

(3) 你请假去旅行，老师＿＿＿＿＿＿不准。

(4) 因为太晚了，没有公共汽车了，＿＿＿＿＿＿打的去。

(5) 京剧是中国的传统＿＿＿＿＿＿，听说年轻人不太喜欢。

(6) 她是受姐姐的＿＿＿＿＿＿才来中国学汉语的。

(7) 我＿＿＿＿＿＿对京剧感兴趣，但不会唱。

(8) 她现在还不来，我＿＿＿＿＿＿是遇到什么事了。

(9) 不用＿＿＿＿＿＿，妈妈的病很快就会好的。

(10) 这本书的＿＿＿＿＿＿怎么样？

B.

(1) 请代我＿＿＿＿＿＿你爸爸妈妈问好。

　　A. 给　　　　B. 把　　　　C. 被　　　　D. 向

(2) 她现在不在办公室，她家里有电话，你把电话＿＿＿＿＿＿。

　　A. 到她家里去打吧　　　　B. 去她家里打吧

　　C. 打到她家里去吧　　　　D. 打去她家里吧

(3) 我看《北京青年报》＿＿＿＿＿＿有一张照片，很像你。

　　A. 里　　　　B. 中　　　　C. 上　　　　D. 下

(4) 昨天晚上我一直学习到很晚才睡，只＿＿＿＿＿＿。

　　A. 睡觉了四五个小时　　　　B. 四五个小时睡觉

　　C. 睡了四五个小时觉　　　　D. 睡四个五个小时觉

(5) 这篇课文比较难，我＿＿＿＿＿＿＿＿。

    A. 看得不懂   B. 不看懂   C. 看得懂   D. 看不懂

(6) A：我现在能进去找他吗？

    B：对不起，他正在上课，现在还＿＿＿＿＿＿＿＿。

    A. 进不去   B. 不能进去   C. 进得去   D. 进得不去

④ 用下列词组填空 Fill in the blanks with the following phrases

看不懂	看得完	拿不了	放不下	参加得了
买得到	坐不下	听不懂	出不去	起得来

(1) 这本书很好，我也想买一本，还＿＿＿＿＿＿＿＿吗？

(2) 玛丽，明天晚上我们准备举行圣诞晚会，你＿＿＿＿＿＿＿＿吗？

(3) 我们明天早上六点出发，你＿＿＿＿＿＿＿＿吗？

(4) 东西太多了，她一个人＿＿＿＿＿＿＿＿，你去帮帮她吧。

(5) 从这儿＿＿＿＿＿＿＿＿，我们走那个门吧。

(6) 房间太小，＿＿＿＿＿＿＿＿那么多人。

(7) 书太多了，家里的书架已经＿＿＿＿＿＿＿＿了。

(8) 老师的话我听得懂，但是还＿＿＿＿＿＿＿＿中文广播。

(9) 这么多的书，你＿＿＿＿＿＿＿＿吗？

(10) 我的汉语水平很低，还＿＿＿＿＿＿＿＿中文小说。

⑤ 完成句子 Complete the following sentences

例：A：明天去得了公园吗？

    B：要是下雨的话，就去不了了。

(1) A：这本书图书馆借得到借不到？

    B：＿＿＿＿＿＿＿＿，借不到。

(2) A：我想看这个展览，不知道票买得到买不到？

B：＿＿＿＿＿＿＿＿＿＿＿＿＿＿＿＿，买不到。

(3) A：你星期天回得来吗？

B：＿＿＿＿＿＿＿＿＿＿＿＿＿＿＿＿，回得来。

(4) A：明天我们去看展览，你跟我们一起去吧。

B：＿＿＿＿＿＿＿＿＿＿＿＿＿＿＿，可能去不了。

(5) A：晚上一起去饭店吃饭，六点以前你回得来回不来？

B：＿＿＿＿＿＿＿＿＿＿＿＿＿＿＿＿，回不来。

(6) A：黑板上的字你看得清楚看不清楚？

B：＿＿＿＿＿＿＿＿＿＿＿＿＿＿＿，看不清楚。

6 改错句 Correct the sentences

(1) 中文广播说得太快了，我不能听懂。

＿＿＿＿＿＿＿＿＿＿＿＿＿＿＿＿＿＿＿＿＿＿＿＿＿

(2) 今天的作业太多了，我做到十点也不做完。

＿＿＿＿＿＿＿＿＿＿＿＿＿＿＿＿＿＿＿＿＿＿＿＿＿

(3) 你把中文小说看得懂看不懂？

＿＿＿＿＿＿＿＿＿＿＿＿＿＿＿＿＿＿＿＿＿＿＿＿＿

(4) 因为买不了机票，今天我不能回去。

＿＿＿＿＿＿＿＿＿＿＿＿＿＿＿＿＿＿＿＿＿＿＿＿＿

(5) 我把今天的作业做得完。

＿＿＿＿＿＿＿＿＿＿＿＿＿＿＿＿＿＿＿＿＿＿＿＿＿

(6) 刚来中国时，我一句汉语也没听懂。

＿＿＿＿＿＿＿＿＿＿＿＿＿＿＿＿＿＿＿＿＿＿＿＿＿

(7) 这些菜你吃得完吃得不完？

＿＿＿＿＿＿＿＿＿＿＿＿＿＿＿＿＿＿＿＿＿＿＿＿＿

(8) 这个包放得不下这么多书。

_____

7 遇到下列情况怎么说（用"动词＋可能补语"） What should you say in the following situations（Using "Verb ＋ Complement of potentiality"）

(1) 朋友请你去参加一个舞会，你有事不能去，怎么跟朋友说？

(2) 踢球时腿摔伤了，不能去上课了，你打电话向老师请假，怎么说？

(3) 买了很多东西，从出租车上下来以后，自己拿不了，正好看见麦克过来，你怎么请他帮你拿？

(4) 上听力课时你的耳机没有声音，怎么对老师说？

8 综合填空 Fill in the blanks

南辕北辙

这是中国古代的一个故事。

前边跑过来了一辆马车，① _____ 坐着一个大富翁，后面放着一个大箱子，前面还坐着一个赶车的。赶车的不停地赶着马，马车跑② _____ 飞快。

路上走过来一位老人。老人挑着水。

大富翁看见这位老人，③ _____ 叫赶车的停下车，想向老人要点儿水喝。

老人问他们要到什么地方去，富翁大声地说："我们要到楚（Chǔ）国去。"

老人一听就笑了，他对富翁说："你们走错了，楚国在南边，应该往南走，怎么往北走呢？"

富翁说："没关系，你看，我的马跑得很④_____。"

老人又说："你的马跑得再快，⑤_____这不是去楚国的路啊。马跑得越快离楚国越远。"

"没问题。"大富翁指着车上的箱子说："您看，这个大箱子里装着很多钱呢。"

"你有很多钱，可是走的方向不对，是到不了楚国的。"

大富翁又指着赶车的说："你看我这个车夫，身强力壮，赶车的技术也特别好。"

老人觉得这位先生简直不懂道理，⑥_____，说："你的车夫是不错。可是，楚国在南边，你非要他赶着车往北跑，⑦_____能到得了楚国呢？"

大富翁听了老人的话，不高兴地说："我们已经走⑧_____好几百里路了，怎么能再往回走呢？"

说完他就让赶车的继续赶着车一直往北跑去，车越跑越快，一会儿就看不见了。

补充生词 Supplementary words

1.	南辕北辙	nán yuán běi zhé	to try to go south by driving the chariot to the north—act in opposite to one's goal
2.	赶	gǎn	to drive
3.	挑	tiāo	to carry (or tote) on the shoulder with a pole
4.	富翁	fùwēng	rich man
5.	身强力壮	shēn qiáng lì zhuàng	(of a person) strong and tough
6.	技术	jìshù	technique
7.	道理	dàolǐ	truth; reason; principle
8.	继续	jìxù	to go on; to continue

猜	亻	犭	犭	猜							
脸	月	肸	肸	肸	脸	脸					
社	丶	衤	衤	衤	社						
性	忄	忄	忄	性							
格	木	杦	杦	格	格						
艺	艹	艺									
术	木	术									
决	冫	冮	冮	决							
担	扌	担	担								
肯	丨	止	止	肯	肯						
估	亻	佔	估								
计	讠	计									
羡	丷	羊	羊	羊	羊	羡					
慕	艹	苗	莫	慕	慕	慕	慕				

Lesson 16

第十六课	山这么高，你爬得上去吗

一 课文 Kèwén ● Text ·······

（一）山这么高，你爬得上去吗

（王老师和林老师跟同学们一起去爬山……）

林老师：王老师，咱们怎么上山？坐缆车上去还是爬上去？

王老师：别坐缆车了。跟同学们一起爬上去吧。

林老师：这座山很高啊，你爬得上去吗？

王老师：没问题。爬得上去。

（老师和同学们一起爬山……）

林老师：美英，我看你累得都喘不上气来了，还爬得动吗？

李美英：爬得动。

林老师：别着急，一步一步地往上爬，爬不动的时候就休息一
会儿。走，咱们一起爬，要坚持到底，坚持就是胜利。
……王老师，加油啊！

王老师：刚爬一会儿就出了一身汗，我休息一会儿再接着爬，

　　　　比不了你们年轻人啦。

　　　　……

李美英：啊，看，王老师也爬上来了。

王老师：麦克，别从那儿上，太危险了。要注意安全。

麦　克：知道了。

（二）我担心自己演不好

（同学们都在积极准备节目，参加联欢会……）

林老师：爱德华，咱们班参加联欢会的节目准备得怎么样了？

爱德华：大家都在积极地准备呢。

林老师：你表演什么节目？

爱德华：我和麦克说个相声。可是总记不住台词，正背台词呢。

林老师：背会了吗？

爱德华：快了。山本，你们的小话剧呢？

山　本：我们也正在排练呢。有的音我发不准，我请田芳一句

　　　　一句地给我纠正。

林老师：谁跟你一起表演？

山　本：原来是玛丽，可是玛丽的腿受伤了，参加不了了。我

　　　　请罗兰跟我一起表演。

罗　兰：我担心自己演不好。

林老师：要有自信，相信自己能演好。

山　本：只要我们好好儿练，就一定能演好。"世上无难事，

只怕有心人"嘛！

罗　兰：我一定努力，争取演出成功。

山　本：老师，您也给我们表演个节目吧。

林老师：我准备了一首歌，不过，很长时间没唱了，恐怕唱
　　　　不好。

山　本：这个地方这么小，坐得下二百多人吗？

林老师：联欢会在楼下小礼堂举行，那儿能坐下三四百人呢。

二　生词 Shēngcí ● New Words

1. 缆车	（名）	lǎnchē	cable car
2. 喘气		chuǎn qì	to breathe
3. 动	（动）	dòng	to move
4. 到底	（动）	dàodǐ	to the end；to the finish
5. 胜利	（动）	shènglì	victory
6. 加油		jiā yóu	Come on！to make more efforts
7. 出汗		chū hàn	to sweat
汗	（名）	hàn	sweat
8. 身	（名）	shēn	body
9. 接着	（动）	jiēzhe	after that；and then；to follow（an action）
10. 危险	（形、名）	wēixiǎn	dangerous；danger
11. 比	（动）	bǐ	to compare

12. 积极	（形）	jījí	active
13. 相声	（名）	xiàngsheng	cross-talk; comic dialogue
14. 台词	（名）	táicí	actor's lines
15. 背	（动）	bèi	to recite from memory; to learn by heart
16. 话剧	（名）	huàjù	drama; stage play
17. 排练	（动）	páiliàn	to rehearse
18. 受伤		shòu shāng	to be injured; to be wounded
19. 纠正	（动）	jiūzhèng	to correct
20. 演	（动）	yǎn	to play; to act; to perform
21. 只要…就…		zhǐyào…jiù…	if only; as long as
22. 世上	（名）	shìshàng	in the world; on earth
23. 无	（动）	wú	have not
24. 怕	（动）	pà	to fear; to be afraid of
25. 心	（名）	xīn	heart
26. 自信	（形）	zìxìn	self-confident; confident
27. 相信	（动）	xiāngxìn	to believe
28. 争取	（动）	zhēngqǔ	to strive for; to try to realie
29. 恐怕	（副）	kǒngpà	be afraid of; probably; maybe
30. 首	（量）	shǒu	(a classifier for song, poem, etc.)

专名　Zhuānmíng　**Proper name**

李美英	Lǐ Měiyīng	Lee Meeyoung (name of a Korean)

三 注释 Zhùshì ● Notes

(一) 世上无难事，只怕有心人

Nothing in the world is difficult for one who sets his mind on it.

汉语谚语。意思是，只要按照自己的目标努力去干，肯动脑筋想办法，就一定能克服困难，获得成功。

Chinese proverb. It means that if one sets his/her mind on a goal and strives hard for it，he/she will surely overcome all difficulties and eventually succeed.

(二) 加油　Come on!

进一步努力。Make more efforts. Used to encourage someone to try harder.

(三) 没问题　No problem.

没有困难，能够做到。用于表达鼓励、同意等。

It means "not too difficult". Used to express encouragement or agreement，etc.

(1) A：一个小时做得完吗？

　　B：没问题。

(2) A：老师，我能学好汉语吗？

　　B：没问题，你一定能学好。

(3) A：你能帮我办件事吗？

　　B：没问题。

四 语法 Yǔfǎ ● Grammar

(一) 可能补语 (2)　The complement of potentiality (2)

1. 动词 + 得/不 + 动　Verb + 得/不 + 动

动词"动"作可能补语表示动作能否使人或物移动位置。例如：

The verb "动" as a complement of potentiality indicateswhether an act is able to change the position of someone or something, e. g.

(1) A：你一个人搬得动吗？

B：这张桌子不重，我搬得动。

(2) 已经爬了半个小时了，我有点儿爬不动了。

2. 动词 + 得/不 + 好　　Verb + 得/不 + 好

形容词"好"作可能补语表示动作能否达到完善，令人满意。例如：

The adjective "好" as a complement of potentiality indicates whether an act can be satisfactorily accomplished, e. g.

(1) 我担心这个节目演不好。

(2) 要相信自己学得好。

3. 动 + 得/不 + 住　　Verb + 得/不 + 住

动词"住"作可能补语表示动作能否使某事物固定或存留于某处。例如：

The verb "住" as a complement of potentiality indicates whether an action is able to make something fixed or stay in one place, e. g.

(1) A：你一天记得住二十个生词吗？

B：我想记得住。

(2) 他的车停不住了。

The complement of potentiality vsthe complement of state

1. 可能补语表示可能实现的结果，而状态补语表示业已实现的结果。前者的句重音在动词上；而后者的句重音在状态补语上。例如：

The complement of potentiality indicates a potentially possible result; the complement of state indicates a result that has already existed. The sentence stress for the former falls on the verb; forthe latter on the complement, e. g.

（1） 他′演得好这个节目。（可能补语，可能但无结果。）

（2） 这个节目他演得′好。（状态补语，评价、称赞已有结果。）

2. 否定式不同。

The negative forms differ.

（1） 这个节目她担心演不好。（可能补语）

（2） 这个节目她演得不好。（状态补语）

3. 正反疑问句的形式不同。

Their affirmative-negative question forms also differ.

（1） 这个节目她演得好演不好？（可能补语）

（2） 这个节目她演得好不好？（状态补语）

4. 可能补语能带宾语，状态补语不能带宾语。

A complement of potentiality may take an object; a complement of state can not.

（1） 我演不好这个节目。（可能补语）

　　　不能说：＊他演得不好这个节目。（状态补语）

(三) 只要……就…… . . . as long as. . . ; if only

"只要……就……"连接一个条件复句。"只要"引出一个必要的条件；"就"（都）后边是这个条件所产生的结果。例如：

"只要…就…" links a conditional complex sentence. "只要" introduces the condition; what follows "就"（都）is the result this condition brings about, e. g.

（1）只要努力，就一定能学好。

（2）只要她知道，就一定会来。

五 练习 Liànxí ● Exercises ....

❶ 语音　Phonetics

（1）辨音辨调　Pronunciations and tones

xiāngxìn	xiānjìn	wèntí	wényì
shènglì	shēngyi	jiūzhèng	qiúzhèng
shìshàng	shíshàng	zìxìn	cíxìng

（2）朗读　Read out the followingphrases

爬得上去	爬不上去	回得来	回不来
坐得下	坐不下	演得好	演不好
唱得好	唱不好	说得好	说不好

爬得动爬不动　　　　走得动走不动

搬得动搬不动　　　　跑得动跑不动

记得住记不住　　　　接得住接不住

坐得下坐不下　　　　装得下装不下

❷ 替换　Substitution exercises

（1）A：你<u>爬</u>得<u>上去</u>吗？

　　　B：我<u>爬</u>得/不<u>上去</u>。

搬	进去
开	过去
放	进去
拿	下来
走	回去

(2) A：还爬得动爬不动？

B：爬得动。/爬不动了。

骑　　搬　　提
拿　　走　　跑

(3) A：走得动吗？

B：太累了，我走不动了。

骑　　　　风太大
提　　　　这个箱子太重
跑　　　　跑得时间太长了
拿　　　　这些书很重
开　　　　汽车坏了

(4) A：课文的生词你记得住记不住？

B：生词 太多，记不住。

这个音　　发　　好　　太难
这些词　　记　　住　　不常用
这首歌　　唱　　好　　很难
太极拳　　打　　好　　太难
沙发　　　搬　　动　　太重了

(5) A：你的车找到了没有？

B：没有，我想找不到了。

钱包	护照
钥匙	照相机
手机	摄像机

(6) A：我担心自己**演**不好。

B：只要好好练，就一定**演**得好。

唱	画
学	写
打	说

3 选词填空 Choose the right words to fill in blanks

加油 动 联欢会 积极 相信 放 下 怕 演 纠正 背

(1) 我累得一点儿也走不_____了。

(2) 我不_____他说的话。

(3) A：在比赛时不停地喊"_____！_____！"的那些人叫什么？

B：叫拉拉队（lāláduì：cheering squad；rooters）。

(4) 上课的时候要_____回答老师的问题。

(5) 星期六晚上，我们班开了一个_____，我在会上_____了一个节目。

(6) 老师常常要求我们把课文背下来，可是，我不喜欢_____课文。

(7) 房间太小，坐不_____这么多人。

(8) 她常_____我的发音错误。

(9) 书太多了，家里的书架已经_____不下了。

(10) 不少同学的问题是_____说错，学习外语一定不要
_____说错，越_____说错越不敢说，也就
越不会说。

④ 选择词语填空 Choose the right phrases to fill in theblanks

学得了	学不了	记得住	记不住
修不好	修不了	上得去	上不去
用得了	用不了	找得到	找不到
走得动	走不动	搬得动	搬不动
参加得了	参加不了	放不进去	放得进去
爬得上去	爬不上去		

(1) 一天我_____那么多生词。

(2) 他没去过那儿，肯定_____。

(3) 我们一年_____五千个词。

(4) 从这儿到天津坐火车_____三个小时。

(5) 这辆车人太多，_____了，我们再等一辆吧。

(6) 你这台电视机太旧了，可能_____了，换一台新的吧。

(7) 他感冒了，明天的运动会可能_____。

(8) 我们休息休息吧，我_____。

⑤ 完成会话 Complete the following dialogues

(1) A：明天的晚会你能参加吗？

B：我能参加。

A：罗兰呢？

B：她可能_____。

A：为什么？

B：她去大同了，明天_____。

(2) A：请你填一下这张表。

B：对不起，有没有法文的，汉语的我_____。

A：英文的你填得了吗？

B：英文的我也_____。

A：那怎么办呢？

6 改错句　Correct thesentences

(1) 门太小了，这个沙发搬得不进去。

_____

(2) 今天我们见面得了吗？

_____

(3) 这个书架我们两个抱不动。

_____

(4) 你要的菜太多了，我们肯定吃得不了。

_____

(5) 天太黑了，我什么都不看见。

_____

(6) 这个包放得不下这么多书。

_____

7 遇到下列情况怎么说？（用"动词 + 可能补语"）　What should you say in the following situations（Using"Verb + Complement of potentiality"）

（1）一个女同学拿了很多东西，你想帮助她拿，怎么说？

（2）想把一个冰箱搬出去，你一个人搬不动，想请朋友帮忙，怎么说？

（3）老师说明天要听写 25 个生词，你觉得太多，记不住，怎么说？

（4）去邮局给国内的朋友寄书，你想知道什么时候能收到，怎么问？

（5）你穿二十六号的鞋（xié：shoe），售货员给你了一双二十五号的鞋，你怎么说？

8 读后说　Read and express

画蛇添足

从前，有几个人得到了一壶酒。他们谁都想喝这壶酒，可是这壶酒只够一个人喝，给谁喝呢，半天决定不了。一个人说："这样吧，我们每个人都在地上画一条蛇。谁先画完，这壶酒就给谁喝。"

大家都同意他的办法，于是就在地上画了起来。

有一个人很快把蛇画好了。他看别人还都没有画完，就左手拿起酒壶，右手又画起来，还得意地说："你们画得太慢了！你们看我，还能给蛇添上几只脚呢。"

当他正在给蛇画脚的时候，另一个人也把蛇画好了，就把酒壶拿了过去，说："蛇是没有脚的，你给它画上了脚，就不是蛇了。所以，第一个画完蛇的是我，不是你！"说完就把酒喝了。

补充生词 Supplementary words

1.	画蛇添足	huà shé tiān zú	to draw a snake and add feet to it——ruin the effect by adding sth. superfluous
	蛇	shé	snake
	添	tiān	to add
2.	壶	hú	pot；kettle
3.	同意	tóngyì	to agree
4.	得意	déyì	pleased with oneself；proud of oneself

9 写汉字 Learn to write Character The order of strokes

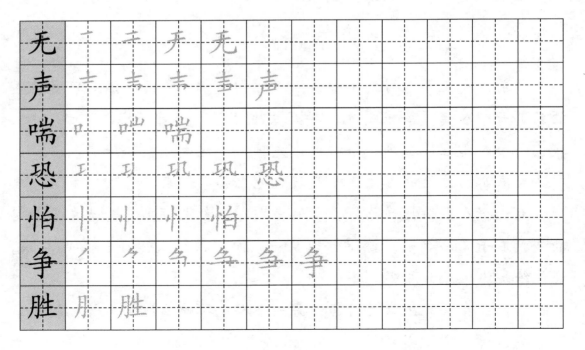

危	⺈	⺈	产	产	危								
险	⻖	阶	阶	险	险	险	险						
积	⺧	⺧	禾	禾	禾	积	积						
底	广	广	庐	庐	底	底							
背	北	背											
纠	纟	纟	纠										

Lesson 17

第十七课	我想起来了

一 课文 Kèwén ● Text ··

（一）我想起来了

（一天，王老师突然接到一个电话，原来是他三年前的学生打来的。）

海　伦：喂，是王老师吗？

王老师：是，你是……

海　伦：老师，你听得出来我是谁吗？

王老师：你是……对不起，声音有点儿熟，但一下子想不起来
　　　　是谁了。

海　伦：我是你三年前的学生，老师还参加过我的婚礼呢。

王老师：啊，我想起来了，海伦！你现在在哪儿？

海　伦：我就在北京。

王老师：你是怎么知道这个电话号码的？

海　伦：是罗兰告诉我的。

王老师：是吗？你是来旅行的吗？

海　伦：不是。我是应国际广播电台的邀请来北京工作的。

王老师：要呆多长时间？

海　伦：我跟他们签了两年的合同。

王老师：保罗呢？

海　伦：保罗也来了。他在北京的一家中外合资公司工作。老师，我们想请您来我家做客。

王老师：好啊。

海　伦：不知道您星期六下午有没有空儿？

王老师：这个星期六下午可以。

海　伦：那我让保罗开车去接您。您还住在原来的地方吗？

王老师：不，我早就搬家了，搬到学校附近一个新建的住宅小区了。我告诉你，你把我的地址记下来。保罗来的时候，给我来个电话，我去门口接他。

海　伦：好的。

（二）我们还想学下去

（在海伦家……）

海　伦：老师，您喝点儿什么？茶还是咖啡？

王老师：我茶和咖啡都喝不了，一喝晚上就睡不着觉。就喝点儿水吧。你们这儿真不错！

海　伦：这是保罗的公司给我们租的房子。要是让我们自己花钱可租不起。

王老师：保罗，你们公司的业务是什么？

保 罗：我们公司是搞中外文化交流的。公司成立不久，业务也刚开展起来。

海 伦：老师，我和保罗的工作都需要用汉语，所以打算继续学下去。我们想利用在北京工作的机会把汉语学好。

王老师：你们俩原来都学得不错，有一定的基础，坚持学下去的话，一定能学好。

海 伦：时间过得真快！离开中国都三年多了。刚回国的时候，还常听听录音，读读课文。后来因为忙，也没坚持下来。很长时间不说，汉语差不多都忘光了，要用的时候，好多词都想不起来了。

王老师：是。学外语，只有坚持下去，多听、多说、多练才能学好。

海 伦：我们还想请老师业余教我们，不知道老师能不能抽出时间来。

王老师：我工作比较忙，抽不出时间来。你们打算怎么学？

海 伦：白天我们都没有时间，只有晚上才抽得出时间。要是老师同意的话，我们想到老师家里去上课。

二 生词 Shēngcí ● New Words

1. 突然　（形、副）　tūrán　　sudden; suddenly

2. 熟　　　（形）　　shú　　　familiar

3. 一下子　　　　　yíxiàzi　　in a short while; all at once; all of a sudden

4. 应　　　（动）　　yìng　　　to accept (an invitation); to be invited

5. 国际　　（名）　　guójì　　international

6. 广播　　（名）　　guǎngbō　broadcast

7.	电台	（名）	diàntái	radio station
8.	邀请	（动、名）	yāoqǐng	to invite；invitation
9.	呆	（动）	dāi	to stay
10.	签	（动）	qiān	to sign
11.	合同	（名）	hétong	contract
12.	中外		zhōng-wài	China and foreign country
13.	合资	（动）	hézī	joint-venture
14.	空儿	（名）	kòngr	free time；empty space
15.	地址	（名）	dìzhǐ	address
16.	业务	（名）	yèwù	business
17.	搞	（动）	gǎo	to do；to engage in
18.	交流	（动）	jiāoliú	to communicate
19.	成立	（动）	chénglì	to set up；to found
20.	不久	（名）	bùjiǔ	soon；before long；not long after
21.	开展	（动）	kāizhǎn	to start；to launch
22.	继续	（动）	jìxù	to continue；to go on with
23.	一定	（形）	yídìng	proper；due；fair
24.	基础	（名）	jīchǔ	foundation；basis
25.	只有…才…		zhǐyǒu…cái…	only if；provided that
26.	光	（形）	guāng	used up；empty
27.	抽	（动）	chōu	to find（time）
28.	同意	（动）	tóngyì	to agree

专名　Zhuānmíng　**Proper names**

1.	海伦	Hǎilún	Helen
2.	保罗	Bǎoluó	Paul

（一）要是让我们自己花钱可租不起

"租不起"的意思是因价钱贵而不能租，肯定形式是"租得起"。

"租不起" means "cannot afford". The affirmative form is "租得起".

（二）我们公司是搞中外文化交流的

动词"搞"有"办、干、做"等意思。

The verb "搞" means "办（do，handle），干（do），做（do）".

四 语法 Yǔfǎ ● Grammar

（一）动作结果的表达：趋向补语的引申用法

Indicating the result of an act：the extended use of the complements of direction

汉语动词的趋向补语大都有引申意义，表示动作行为的结果。

Most complements of direction of Chinese verbs have extended meanings，i. e. to indicate the results of the act.

1. 动词＋起来　Verb ＋起来

表示动作开始并继续。例如：

Indicating an act begins and continues，e. g.

（1）笑起来、下起来、打起来、跑起来、开展起来

（2）她说得大家都笑起来了。

（3）刚才还是晴天，突然下起雨来了。

"想＋起来"的意思是：恢复记忆。例如：

"想 ＋起来" means "call to mind" or "remember"，e. g.

（4）啊！我想起来了，钥匙还在楼下自行车上插着呢，忘了拔下
　　来了。

（5）我想起来了，这个地方我们来过。

（6）我们在一起学习过，但是她叫什么名字我想不起来了。

② **动词＋出来** Verb ＋出来

表示辨认或动作使事物从无到有或由隐蔽到显露。例如：

Indicating the revelation or emergence of something through recognition or an act, e. g.

（1）听出来、看出来、喝出来、洗出来、画出来、写出来

（2）这道题我做出来了。

（3）A：这是什么茶你喝得出来吗？

　　　B：我喝不出来。

（4）我看出来了，这是王老师写的字。

（5）我们照的照片洗出来了。

"想出来" 的意思是：大脑产生新的想法。例如：

"想出来" means "think out", "think up", e. g.

（6）他想出来了一个办法。

（7）这个方法是谁想出来的？

（8）A：我们怎么办呢？

B：我也想不出办法来。

比较："想起来"和"想出来"

Compare："想起来" and "想出来"

"想起来"：大脑原有的信息忘记了，后经过回忆又恢复了记忆。

"想起来" means to recall something forgotten.

"想出来"：大脑里原来没有的信息，经过思考产生了。宾语一般是"办法"、"主意"、"意见"等。

"想出来" means "to think up", i. e. to create something in the mind. Its object is usually such words as"办法"（way, method），"主意"（decision），"意见"（opinion），etc.

（6）想起来了，我把钥匙放在提包里了。

（7）我想不起来把那本书借给谁了。

（8）A：我怎么办呢，你能帮我想出一个好办法吗？

   B：我也想不出好办法来。

3. 动词＋下去　Verb ＋下去

表示正在进行的动作继续进行。例如：

Indicating something one is doing will continue，e. g.

（1）学下去、说下去、读下去、做下去、干下去、住下去

（2）明年，我还想继续在这儿学下去。

（3）让他说下去。

（4）这件事我们准备坚持做下去。

4. 动词＋下来　Verb ＋下来

表示动作使事物固定或动作（状态）从过去继续到现在。例如：

Indicating something is recorded in a given manner, or an act（state）continued from the past to the present, e. g.

（1）记下来、写下来、照下来、画下来、拍下来、坚持下来

（2）我已经把他的地址和电话号码记下来了。

（3）应该把这儿的风景照下来。

（4）请大家把黑板上的句子记下来。

（5）后来因为忙，我没有坚持下来。

（二）只有……才……　only（by）...can...

"只有……才……."连接一个条件复句。"只有"表示必需的条件，"才"表示在这一条件下出现的情况或产生的结果。例如：

"只有…才…"links a conditional complex sentence."只有"indicates a necessary condition；"才"indicates the consequence or result under the stated condition, e. g.

（1）只有努力学习才能得到好成绩。

（2）学外语，只有多听、多说、多练才能学好。

五 练习 Liànxí ● Exercises

1 语音 Phonetics

（1）辨音辨调 Pronunciations and tones

shēngyīn　　shēnyǐng　　gàosù　　gāosù

guójì	guójí	tūrán	hūrán
hézī	hézi	chénglì	chéngyī
jìxù	jíxū	tóngyì	tǒngyī

(2) 朗读 Read out the followingphrases

花钱	花时间	租汽车	租房子
租不起	买不起	住不起	上不起
看出来了	没看出来	听出来了	没听出来
吃出来了	没吃出来	喝出来了	没喝出来
想起来了	没想起来	想出来了	没想出来
记下来了	没记下来	背下来了	没背下来
学不下去了	干不下去了	背不出来了	读不出来了
吃得出来吃不出来		想得出来想不出来	
看得出来看不出来		听得出来听不出来	

2 替换 Substitutions

(1) A：你听得出来这是谁唱的歌吗？

B：我听不出来。

听	我是谁
看	他是哪国人
看	照片上的人是谁
吃	这是什么肉
喝	这是什么茶

(2) A：你还想<u>学</u>下去吗？

B：对！我还想继续<u>学</u>下去。

干	写
做	住
搞	研究

(3) A：<u>这套房子</u>怎么样？

B：<u>这套房子</u>太贵了，我<u>租</u>不起。

这种汽车	买
这件礼物	买
这个饭店	住
这个大学	上
坐飞机	坐

(4) A：你把<u>他的电话号码 记</u>下来了吗？

B：<u>记</u>下来了。

黑板上的句子	写
这张图	画
那儿的风景	拍
这个节目	录
她的地址	记

(5) 想起来了，<u>她叫安娜</u>。

> 我把护照放在大衣口袋里了
>
> 我把那本书借给玛丽了
>
> 这个地方我们前年来过
>
> 这个人我见过
>
> 这个电影我看过

(6) 只有<u>多听多说</u>才<u>能学好汉语</u>。

> 坚持学下去　　　　能学好汉语
>
> 坚持下去　　　　　会成功
>
> 通过托福考试　　　能去美国留学
>
> 针灸　　　　　　　能把这种病治好
>
> 你去　　　　　　　能把他叫来

3 选词填空 Choose the right words to fill in blanks

> A. 邀请　离开　抽　熟　成立　搞　呆　签　继续　花

(1) 这个声音我听起来很_____，但是一下子想不起来是谁了。

(2) 你打算在中国_____多长时间？

(3) 国外一个大学想_____我去工作。

(4) 去加拿大工作的合同_____了没有？

(5) 她准备_____三年时间把这本书翻译出来。

(6) 我觉得_____中外文化交流工作很有意思。

(7) 他们公司刚_____不久，很多业务还没有开展起来。

(8) 回国后我还要_____学下去，要是不坚持学下去的话，学过的也会忘记的。

(9) 我想_____空儿回家去看看妈妈，我已经有几年没回过家了。

(10) 在家的时候想出来，但是一_____家就想家。

B.

(1) 他说明年还要在这个学校_____。
    A. 学下去   B. 学下来
    C. 学起来   D. 学上来

(2) 他的电话号码是多少，我_____了。
    A. 想不起来   B. 想不出来
    C. 想起来   D. 想出来

(3) 你_____了没有，这是谁唱的歌？
    A. 听起来   B. 听出来
    C. 听不出来   D. 听起来

(4) 我_____了，我看过她演的电影。
    A. 想起来   B. 想出来
    C. 想不起来   D. 想不出来

(5) 她难过得_____了。
    A. 说不上来   B. 说不下去
    C. 说不下去   D. 说不出来

(6) 你_____了吗？这是什么茶？
    A. 喝得出来   B. 喝不下去
    C. 喝不出来   D. 喝出来

（7）这儿风景真美，快把它_____吧。

    A. 拍进来   B. 拍下来

    C. 拍下去   D. 拍出来

（8）一看到他那样子，大家就都_____。

    A. 笑了起来   B. 笑了一下

    C. 笑了出来   D. 笑了一会儿

（9）你能_____她是哪国人吗？

    A. 看得出来   B. 看得过来

    C. 看得起来   D. 猜得到

（10）我也_____好办法。

    A. 想出来   B. 想不起来

    C. 想不出来   D. 想不到

④ 按照例句做练习，并说出句子在什么情况下用

Practice after the models and then tell in what situations they are used

> 例1：A：把它拍下来吗？   A：你把它拍下来了没有？
>
>   B：拍下来吧。   B：拍下来了。

照   画   录   写   记

> 例2：A：听出来了吗？
>
>   B：听不出来。

看   猜   吃   喝   想

⑤ 在下列情况下怎么说（用"动词＋趋向补语"） What should you say in the

following situations（using "Verb + Complement of direction"）

（1）在一次会上，一个多年不见的同学走过来，跟你握手，但是你认不出来他是谁了。

同学：还认识我吗？

A：对不起，_____。

(2) 朋友请你吃饭，一个菜很好吃，朋友问你，是什么菜，你吃得出来吗。你吃不出来，怎么回答？

A：_____。

(3) 老师让你们听写，但是你觉得老师念得太快，有两个句子没有写下来……

老师：都写下来了吗？

A：_____。

(4) 去洗照片，你希望一个小时以后能洗出来，怎么问？

A：_____？

B：没问题，洗得出来。

(5) 听到一个小提琴曲，朋友问你听得出来这是什么曲子吗？你怎么回答？

A：_____。

6 改错句　Correct thesentences

(1) 他照起来的照片很好看。

_____

(2) 我把这个词查不出来。

_____

(3) 因为家里没有钱，没办法让我继续下去学习了。

_____

(4) 我想不出来她叫什么名字了。

_____

(5) 他想起来了一个办法。

_____

(6) 这件事我不想告诉她，但是她已经把这件事知道了。

_____

7 综合填空　Fill in the blanks

司马光砸缸

这是中国古时候的故事。

有一天，司马光和小朋友们在院子里玩，院子里有个大水缸，水缸里装满了水，他们玩得正高兴的时候，一个小朋友不小心掉①_____水缸里去了，一个孩子看见了，就大声喊了②_____："救人啊！救人啊！有人掉到水缸里③_____了。"有的孩子吓得哭了④_____来。司马光看到这种情况，很快想⑤_____了一个好办法。他连忙搬起一块石头，跑了过来，向着水缸砸去，一下子⑥_____水缸砸破了。水缸里的水都流了⑦_____来。掉在水缸里的小朋友得救了。

看到从水缸里爬出来的小朋友，大家都笑了⑧_____……

8 写汉字　Learn to write

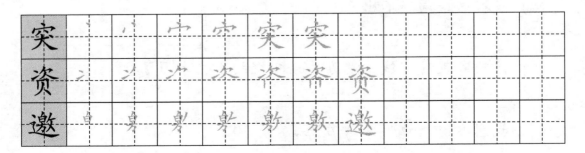

际	阝	阝	阡	阼	际					
播	扌	扩	拌	拌	拌	捲	採	播		
址	土	圤	圤	址	址					
搞	扌	扩	护	护	搞	搞				
基	一	甘	甘	甘	甘	其	基			
础	石	石	砂	砂	础	础				
继	纟	继	继							
租	一	二	千	禾	禾	利	租	租	租	租

第十八课　　寒假你打算去哪儿旅行

一 课文 Kèwén ● Text ··

（一）吃什么都可以

麦　克：我有点儿饿了，想吃点儿什么，你呢？

玛　丽：我又饿又渴。咱们去饭馆吧。

（在饭馆）

麦　克：你吃点儿什么？

玛　丽：你点吧，什么都可以。

服务员：你们两位要点儿什么？

麦　克：小姐，你们这儿有什么好吃的菜？什么好吃我们就吃
　　　　什么。

服务员：我们这儿什么菜都好吃啊。

麦　克：是吗？把你们这儿最好吃的菜给我们来两个。

服务员：这儿的辣子鸡丁和糖醋鱼都不错。

麦 克：那就一样来一个吧。我们喝点儿什么呢？

玛 丽：随便。你说喝什么就喝什么吧。

（二）你是哪儿冷去哪儿啊

田中：时间过得真快，下周考完试就要放寒假了。

麦克：是啊，寒假你有什么打算吗？

田中：学校要组织留学生去外地旅行，谁都可以报名，你报名吗？

麦克：我听谁说过这件事。不过我想自己去旅行。

田中：去哪儿？

麦克：哈尔滨。

田中：哈尔滨？你是哪儿冷去哪儿啊。现在那儿白天已经零下二十多度了。

麦克：听说哈尔滨的冰灯冰雕很好看，我想去看看。

田中：你想怎么去？

麦克：除了骑自行车以外，怎么去都行。

田中：你又开玩笑。

麦克：要是买不到火车票就坐飞机去。你的计划呢？

田中：我打算先去西安看看碑林和兵马俑，再到重庆，从重庆坐船游览长江三峡，然后去苏州、杭州，最后去桂林和云南。

麦克：田芳说，苏州、杭州很美。

田中："上有天堂，下有苏杭"嘛。你去过桂林吗？听说"桂林山水甲天下",风景像画儿一样,美极了。

麦克:没有。我对云南少数民族的风俗很感兴趣。要是有机会
一定去看看。你的旅行路线很好,不过要花多少钱啊。

田中:是公司要求我利用假期一边旅行一边考察的。

麦克:原来你是公费旅行啊。

二 生词 Shēngcí ⬤ New Words

1.	饿	(形、动)	è	hungry; to starve
2.	渴	(形)	kě	thirsty
3.	点(菜)	(动)	diǎn (cài)	to order dishes (in a restaurant)
4.	好吃	(形)	hǎochī	delicious; good to eat
5.	辣子鸡丁		làzi jīdīng	chicken dices with chilli
6.	糖醋鱼		táng cù yú	fish in sweet and sour sauce
7.	周	(名)	zhōu	week
8.	放假		fàng jià	to have a vacation
9.	寒假	(名)	hánjià	winter vacation
10.	外地	(名)	wàidì	other parts of the country
11.	零下	(名)	língxià	below zero
12.	冰灯	(名)	bīngdēng	ice lantern
13.	冰雕	(名)	bīngdiāo	ice sculpture; ice carving
14.	开玩笑		kāi wánxiào	to crack a joke
	玩笑	(名)	wánxiào	joke
15.	计划	(动、名)	jìhuà	to plan; plan

16.	兵马俑	（名）	bīngmǎyǒng	terracotta warriors
17.	船	（名）	chuán	boat; ship
18.	游览	（动）	yóulǎn	to go sight-seeing
19.	峡	（名）	xiá	gorge
20.	天堂	（名）	tiāntáng	paradise; heaven
21.	山水	（名）	shānshuǐ	mountains and rivers; scenery
22.	甲	（名）	jiǎ	first; number one
23.	天下	（名）	tiānxià	the world or China
24.	少数	（名）	shǎoshù	minority
25.	民族	（名）	mínzú	nationality
26.	风俗	（名）	fēngsú	custom
27.	路线	（名）	lùxiàn	route
28.	一边…一边…		yìbiān…yìbiān…	at the same time
29.	考察	（动）	kǎochá	to inspect; to make an on-the-spot investigation
30.	公费	（名）	gōngfèi	at public expense

专名 Zhuānmíng **Proper Names**

1.	碑林	Bēilín	Forest of Steles (in Xi'an City)
2.	重庆	Chóngqìng	Chongqing (a metropolis in China)
3.	长江	Cháng Jiāng	the Chang Jiang (Yangtze) River
4.	三峡	Sānxiá	the Three Gorges (in Sichuan Province)
5.	苏州	Sūzhōu	Suzhou (a city in Jiangsu Province)
6.	杭州	Hángzhōu	Hangzhou (the capital of Zhejiang Province)
7.	桂林	Guìlín	Guilin (a city in Guangxi Province)
8.	云南	Yúnnán	Yunnan (a province in China)

三 注释 Zhùshì ● Notes ··········

(一) 桂林山水甲天下

The scenery of Guilin is the best in the world.

(二) 上有天堂，下有苏杭

Up above there is Paradise, down here there is Suzhou and Hangzhou.

四 语法 Yǔfǎ ● Grammar ··········

(一) 疑问代词的活用　The flexible use of the interrogative pronouns

疑问代词除了表示疑问、反问之外，还表达对人或物的任指、特指和虚指。

Besides their use in questions and rhetorical questions, interrogative pronouns can be used in the general, specific and fuzzy references.

1. 任指（泛指）　General reference

疑问代词表示任指时，"谁"表示任何人；"什么"表示任何东西；"怎么"表示任何方式或方法；"哪儿"表示任何地方；"什么时候"表示任何时间等。句中常用副词"也"或"都"与之呼应。例如：

When interrogative pronouns are used with general reference, "谁"means anyone；"什么", anything；"怎么", any manner or any way；"哪儿", anywhere, etc. The adverbs "也"or "都"are often used correspondingly in the sentence, e. g.

(1) 我们班的同学谁都喜欢她。

(2) 天太冷，我哪儿也不想去。

(3) 怎么办都行，我没意见。

(4) 吃什么都可以。

(5) 你什么时候来我都欢迎。

2. 特指　Specific reference

用两个同样的疑问代词，前后呼应，可以指同一个人、同一事物、同一时间、同一种方式等。前一个疑问代词表示任指，后一个疑问代词特指前一个所指的事物，前后两个分句或短语之间有时用"就"连接。例如：

Two identical interrogative pronouns are used in concert with each other, referring to the same person, same thing, same manner, etc. The former has a general reference, the latter refers specifically to the thing the first pronoun indicates; and the two clauses（or phrases）are sometimes linked by"就"in a sentence. The following examples will illustrate, e. g.

(1) 哪儿好玩就去哪儿。

(2) 怎么好就怎么办。

(3) 什么好吃就吃什么。

(4) 谁说得好我就跟谁学。

(5) 你什么时候想来就什么时候来吧。

前后两个疑问代词也可指不同的人或事物。例如：

The two interrogative pronouns may also refer to different persons or things. For examples：

(6) 我们好长时间没见面了，一见面谁也不认识谁。

(7) 这些车哪辆跟哪辆都不一样。

3. 虚指　Fuzzy reference

表示不确定、不知道、说不清楚或不需要说出的人或事物。例如：

The reference is uncertain, unknown, forgotten or need not be mentioned, e. g.

(1) 这个人我好像在哪儿见过。

(2) 我的照相机不知怎么弄坏了。

(3) 朋友要回国了，我应该买点什么礼物送给她。

（4）我听谁说过这件事。

（二）两个动作同时进行：一边……，一边…… at the same time, simultaneously

关联副词"一边……，一边……"用在动词前，表示两种以上的动作同时进行。例如：

The connective adverbs "一边…一边…" are used before verbs to indicate that two acts are proceeding at the same time, e. g.

（1）她一边说一边笑。

（2）我喜欢一边听音乐，一边做练习。

注意："一边"中的"一"可以省略。同单音节动词组合时，中间不停顿。

Note："一" can be omitted. When associated with monosyllabic verbs, there is no pause in between, e. g.

边听边看，边想边写，边说边笑，边喝边聊

注意：动词所表示的动作必须是可以同时进行的，而且应该是同类的。

Note：The acts that the verbs denote must be able to occur simultaneously, and must be of the same type. We cannot say：

不能说：＊我一边打篮球，一边觉得很饿。

也不能说：＊我一边听老师讲，一边不懂。

（三）连续动作的顺序：先……再（又）……然后……最后……

The order of consecutive acts：先（first）…再/又（then）…然后（after that）…最后（finally）…

（1）我先复习生词，再做练习，然后读课文，最后预习课文。

（2）他先去西安，再去重庆，然后游览长江三峡，最后去香港。

（3）你先填申请表，再去办护照，然后去大使馆办签证，最后再订机票。

五 练习 Liànxí ● Exercises ···

1 语音 Phonetics

（1）辨音辨调 Pronunciations and tones

hánjià	hángjiā	kǎochá	hǎo chá
wàidì	dàitì	shānshuǐ	sān suì
shǎoshù	shǒushù	mínzú	mínzhǔ
fēngsú	fēng sù	lùxiàn	lùxiàng

（2）朗读 Read out the followingphrases

少数民族　　少数人　　　少数学生　　　少数国家
游览长城　　游览颐和园　游览长江三峡　游览桂林山水
学习计划　　工作计划　　旅行计划　　　计划去旅行
谁都喜欢她　　　　　怎么去都行
哪儿都不舒服　　　　什么地方都没去过
一边看一边写　　　　一边旅行一边考察
一边听音乐一边做练习

2 替换 Substitutions

（1）A：我们<u>去哪儿玩玩</u>吧。

　　B：好吧。

给他送点儿什么礼物

去找谁问问路

去请谁帮帮忙

什么时候去看看她

吃点儿什么

(2) A：我们去哪儿呢？

B：你想去哪儿我们就去哪儿。

送什么礼物	她喜欢什么就送什么
怎么去	怎么去方便就怎么去
什么时候去	什么时候有空就什么时候去
派谁去	谁有能力就派谁去
借给他多少	他需要多少就借给他多少

(3) A：你想吃点儿什么？

B：什么都可以。

喝点儿什么
去哪儿
怎么去
跟谁去
要哪个
要多少

(4) A：想吃点儿什么？

B：什么好吃我就吃什么。

喝点什么	什么好喝	喝
要哪个	哪个好	要
看哪个	哪个好看	看
去哪儿	哪儿好玩	去
怎么去	怎么方便	去

(5) 他一边旅行，一边考察。

吃饭	看电视
听音乐	做练习
跳	唱
想	写
哭	说

③ 选词填空 Choose the right words tofill in blanks

考察　除了　风俗　寒假　少数　要求　公费　零下　饭馆
计划　一边……一边……

(1) 我想利用＿＿＿＿＿＿去南方旅行。

(2) 他＿＿＿＿＿＿听音乐＿＿＿＿＿＿做练习。

(3) 这里有不少小＿＿＿＿＿＿，饭菜又便宜又好吃。

(4) 我们那儿一年四季都很暖和，气温从来没有到过
＿＿＿＿＿＿一度。

(5) ＿＿＿＿＿＿旅行以外，我还想＿＿＿＿＿＿一下中国南方
的城市交通。

(6) 我们公司也＿＿＿＿＿＿在这儿开展业务。

(7) 我想了解中国少数民族的＿＿＿＿＿＿习惯。

(8) 中国有五十五个＿＿＿＿＿＿民族。

(9) 我们班只有两个＿＿＿＿＿＿留学生。

(10) 请把你的＿＿＿＿＿＿跟大家说说吧。

④ 用括弧里的词完成句子 Complete the sentences with the words in the parentheses.

(1) A：她怎么样？

B：她又聪明又漂亮，班上的同学＿＿＿＿＿＿＿＿＿＿＿。（谁）

(2) A：你今天出去吗？

B：今天外边太冷，我＿＿＿＿＿＿＿＿＿＿＿＿＿＿。（哪儿）

(3) A：你看这件事怎么办呢？

B：＿＿＿＿＿＿＿＿＿＿＿＿＿＿＿＿。（怎么）

(4) A：我想去看看你，什么时候去比较合适？

B：你＿＿＿＿＿＿＿＿＿＿＿＿＿＿＿。（什么）

(5) A：来中国以后，你去过什么地方？

B：除了北京以外，我＿＿＿＿＿＿＿＿＿＿。（哪儿）

(6) A：我们坐火车去还是坐飞机去？

B：＿＿＿＿＿＿＿＿＿＿＿＿＿＿＿＿。（怎么）

5 用括号里的词语回答下列问题

Answer the following questions with the words in brackets

(1) A：你想吃点儿什么？

B：＿＿＿＿＿＿＿＿＿＿＿＿＿。（什么……什么……）

(2) A：你想让谁跟你去？

B：＿＿＿＿＿＿＿＿＿＿＿＿＿。（谁……谁……）

(3) A：我们怎么去呢？

B：＿＿＿＿＿＿＿＿＿＿＿＿＿。（怎么……怎么……）

(4) A：我们什么时候出发？

B：＿＿＿＿＿＿＿＿＿＿＿＿＿。（什么……什么……）

(5) A：我们去哪儿买？

B：＿＿＿＿＿＿＿＿＿＿＿＿＿。（哪儿……哪儿……）

(6) A：你想学哪本书？

B：＿＿＿＿＿＿＿＿＿＿＿＿＿。（哪……哪……）

6 下列情况怎么说（用疑问代词）

Rephrase the sentences（usinginterrogative pronouns）

(1) 你们班的同学有的以后要学经济，有的要学法律，有的要学医学，有的要学历史……

（什么）

(2) 我有很多朋友，有的是老师，有的是记者，有的是作家，有的是工程师，有的是大夫，有的是律师……

（什么）

(3) 我喜欢看书，文学、历史、医学、经济、法律等方面的书我都喜欢看。

（什么）

(4) 他来中国快一年了，只去过一次北京，别的地方还没有去过。

（除了……以外，哪儿）

7 改错句 Correct thesentences

(1) 哪个题容易，我就做什么题。

_____

(2) 你说怎么，我就做怎么。

_____

(3) 哪儿好玩儿，就我们去哪儿玩玩儿。

_____

(4) 我的电脑坏了，什么也修不好。

_____

(5) 我刚来中国的时候，什么汉语不会说。

_____

（6）老师的话我一边听，一边不懂。

---

8 读后说　Read and express

吃药吃的

因为吃得好也吃得多，我越来越胖。天冷了，为了减肥，我决定去游泳。那天，我去奥林匹克体育中心游泳馆游了一会儿泳，第二天头就疼起来了。我到医院去看病。大夫说我感冒了，开了一些药让我吃。吃了感冒药就想睡觉。睡了两天以后，头不疼了，但是嗓子却疼起来了。大夫说，天气太干燥，又让我吃药。过了三天，嗓子不疼了，又咳嗽起来了，而且越咳越厉害，咳得晚上睡不着觉。大夫看了以后给我开了一些咳嗽药。没想到，当天晚上我就发起烧来了。大夫只好又给我开退烧药。他说这药很好，但是要多喝水。

药真的很好，很快就不发烧了。但是好几天没有大便了。大夫一检查说我大便干燥。这次，大夫说吃点儿中药吧。中药也很好，吃了以后，第二天就有了要大便的感觉，连忙去厕所，没想到又拉起肚子来了。去找大夫，他说我把肚子吃坏了，再开点儿治肚子的药吃吃吧。

昨天下午，一位当医生的朋友来看我。他说："你的脸色怎么这么难看，我给你开点儿药吃吃吧。"我说，不用了。我这难看的脸色都是吃药吃的。

他好像听不懂我的话，我就把这些天看病的经过跟他说了说，他听了以后大笑起来，对我说，是，是，你不能再吃药了。不过，应该去运动运动。冬天太冷，到外边运动容易感冒，到奥体中心去游游泳吧。我一听他的话，头又立刻疼了起来。

丁	一	丁								
兵	一	丘	丘	丘	兵	兵				
俗	亻	价	伀	俗						
饿	饣	饣	饿							
渴	氵	沪	泹	渴	渴					
辣	立	辛	辛	辣	辣	辣	辣			
醋	一	丆	西	西	酉	酉	酢	酢	酢	醋
零	雫	雫	雫	零	零					
线	纟	纟	纟	纱	线	线				
雕	月	月	月	刖	刖	雕	雕	雕	雕	
划	一	弋	戈	戈	划					
船	亻	亻	舟	舟	舟	舟	船	船		
数	半	娄	娄	数	数	数				
族	方	方	方	放	族	族	族	族		

Lesson 19

第十九课	有困难找警察

一 课文 Kèwén ● Text ·························

（一）有困难找警察

（几个同学在聊天，他们谈到"有困难找警察"这句话……）

麦　克：街上到处都写着"有困难找警察"，你找过警察吗？

爱德华：没有。

大　山：昨天我在街上遇到一件事。

麦　克：什么事？

大　山：在一个十字路口，我看
见一对老夫妻，看样子
是从农村来的。他们要
过马路，但是看到来往
的车那么多，等了半
天，也没敢过来。这
时，一个交通警察看见

·124·

了，就立即跑了过去，扶着这两位老人，一步一步地走过来。看到这种情景，我非常感动。

麦　克：这是警察应该做的事，有什么可感动的？

大　山：可是，有的地方，还发生过警察打人的事。

爱德华：我觉得中国的警察还是不错的。我有个同学，去年秋天去重庆旅行，不小心把钱包和护照都丢了，身上一分钱也没有了，非常着急。正在不知道怎么办的时候，他想到"有困难找警察"这句话，就去找警察。警察为他安排了住的地方，还借给他钱买了回北京的机票，又开车把他送到机场。

麦　克：真的吗？

爱德华：当然是真的！我还在报上看到这样一件事：一个四五岁的小男孩儿把球滚到大街上去了。他要跑过去拿，被警察看见了。警察就帮孩子把球捡了回来，然后把小男孩抱到路边。孩子说了一声"谢谢叔叔"，刚要走，又回来对警察说："叔叔，我的鞋带开了。"说着就把小脚伸到警察面前，警察笑着弯下腰去，给孩子把鞋带系好。这时孩子的妈妈也跑了过来，看到这种情景，

感动得不知道说什么好。

（二）我们把松竹梅叫做"岁寒三友"

（在王老师家的客厅里，王老师正与韩国朋友朴正浩先生谈话……）

朴正浩：这幅《红梅图》画得真好！

王老师：这是一位画家朋友
送的。

朴正浩：虽然是冬天，但是一
看到这幅画就感到像
春天一样。

王老师：梅、松、竹是中国画家最喜欢画的。中国人把松竹梅
叫做"岁寒三友"。听说先生很喜欢中国画和中国
书法。

朴正浩：是。我每次到中国来，看到喜欢的字画，总要买一些
带回去。

王老师：我跟您一样，也非常喜欢书法和中国画。

朴正浩：我看您的字写得很漂亮。

王老师：哪里。您过奖了。

二 生词 Shēngcí ● New Words ·······················

1. 句　　（量）　jù　　　　（classifier）（of language）sentence

2. 困难　（名）　kùnnan　　difficulty；trouble

3. 警察	（名）	jǐngchá	police
4. 到处	（副）	dàochù	at all places; everywhere
5. 感动	（动、形）	gǎndòng	to be moved; to move; touched
6. 十字路口		shí zì lùkǒu	intersection
7. 对	（量）	duì	couple
8. 夫妻	（名）	fūqī	husband and wife
9. 看样子		kàn yàngzi	it seems; seem
样子	（名）	yàngzi	appearance
10. 农村	（名）	nóngcūn	countryside
11. 来往	（动）	láiwǎng	to come and go
12. 敢	（能愿）	gǎn	dare
13. 立即	（副）	lìjí	at once
14. 扶	（动）	fú	to assist; to support
15. 情景	（名）.	qíngjǐng	scene; sight
16. 可	（副）	kě	to need (doing); to be worth (doing)
17. 发生	（动）	fāshēng	to happen; to take place
18. 滚	（动）	gǔn	to roll
19. 抱	（动）	bào	to hold; to carry in one's arms
20. 鞋带	（名）	xiédài	shoelace
鞋	（名）	xié	shoe
21. 脚	（名）	jiǎo	foot
22. 伸	（动）	shēn	to reach

23.	面前	（名）	miànqián	in front of; before
24.	叔叔	（名）	shūshu	uncle
25.	弯	（动、形）	wān	to bend; to curl; crooked
26.	腰	（名）	yāo	waist
27.	梅	（名）	méi	plum
28.	图	（名）	tú	picture
29.	画家	（名）	huàjiā	painter; artist
30.	松	（名）	sōng	pine
31.	竹	（名）	zhú	bamboo
32.	叫做	（动）	jiàozuò	to be called; to be known as
33.	岁寒三友		suì hán sān yǒu	the three friends in cold weather
34.	字画	（名）	zìhuà	calligraphy and painting
35.	过奖	（动）	guòjiǎng	to flatter

专名 Zhuānmíng **Proper Name**

朴正浩　　　Piáo Zhènghào　　　Park Jungho（name of a Korean）

三 注释 Zhùshì ● Notes ··················

（一）看样子他们是从农村来的　It seemed they were from countryside

"看样子"，插入语。表示对客观情况的估计和推测，用法与"看上去"、"看起来"、"看来"相近。例如：

"看样子" is a parenthesis in the sentence. It indicates the speaker's estimate and appraisal of a circumstance. It usage is similar to "看上去"，"看起来" and "看

来", e. g.

(1) 天阴了，看样子要下雨。

(2) 已经八点半了，看样子她今天不来了。

(3) A：她是哪国人？

B：看样子像美国人。

（二）就像扶着自己的父母一样 just like assisting his own parents

"像……一样"表示比喻或说明情况相似，可作谓语、定语、补语或状语。

"像…一样" shows an analogy or the similarity of circumstances.

It can be used as the predicate; attribute; complement or adverbial in a sentence.

(1) 我们班的同学像兄弟姐妹一样。

(2) 我想买一个像你这个一样的手机。

(3) 她很漂亮，长得像她妈妈一样。

(4) 那辆车像飞一样地开了过来。

四 语法 Yǔfǎ ● Grammar

（一）无关联词语复句 Complex sentence without connectives

汉语口语通常只用语序来表示小句之间的语义联系，只要语义清楚、符合逻辑，一般不用关联词，而实际上小句之间隐含着一定的逻辑关系。例如：

In spoken Chinese the semantic relationship between clauses is normally shown by the grammatical order of the sentence. If the meaning is clear and logical, connective words may be omitted wherealogical relation is inherent between the clauses, as in the following cases, e. g.

表示假设关系的：

Indicating a hypothetical circumstance：

（1） 有困难找警察。＝要是有困难就找警察。

（2） 你去我就去。＝要是你去的话，我就去。

（3） 下雨就不去了。＝要是下雨的话，就不去了。

表示因果关系的：

indicating a cause-effect relationship：

（4） 不小心把护照丢了。＝因为不小心，所以把护照丢了。

（5） 不小心把裤子烧破了。＝因为不小心，所以把裤子烧破了。

（二）状态补语（二）　The complement of state（2）

汉语的动词词组也可用"得"连接作动词的状态补语，描写动作者（或受动者）的状态。例如：

A verb phrase may be linked by "得" with a complements of state, which functions as an adverbial to describe the state of the agent（or the recipient）of an act，e. g.

（1） 他感动得不知道说什么好。

（2） 她们高兴得跳啊，唱啊。

（3） 他看球赛看得忘了吃饭。

（4） 他气得大叫起来。

五 练习 Liànxí ● Exercises ···

1 语音　Phonetics

（1） 辨音辨调　Pronunciations and tones

jǐngchá	jīngchà	kùnnan	kōngnàn
lìjí	líqí	qíngjǐng	qīnjìn
miànqián	miǎnqiǎng	wàibīn	wàibian

(2) 朗读 Read out the followingphrases

下课就回宿舍　　　　　　起床就去跑步

放寒假就回国　　　　　　没事就去玩儿

你来我就走　　　　　　　他去我也去

老师来了就好了　　　　　你去就知道了

让我很感动　　　　　　　让妈妈很着急

让她很生气　　　　　　　让朋友很不高兴

看样子要下雨　　　　　　看样子是夫妻

看样子是中国人　　　　　看样子她不来了

不小心把护照丢了　　　　不小心把腿摔了

不小心把照相机摔坏了　　不小心把杯子碰倒了

2 **替换** Substitutions

(1) <u>有困难找警察</u>。

> 有事来找我
>
> 有问题问老师
>
> 有事来电话
>
> 有意见跟我提

(2) 这件事<u>让我很感动</u>。

> 让妈妈很着急
>
> 让朋友很不高兴
>
> 叫我很难过
>
> 叫我很生气

(3) 看样子<u>今天要下雨</u>。

他们是夫妻

她是欧洲人

他病得很厉害

你是个足球迷

(4) A：你们把<u>梅松竹</u>叫做什么？

B：我们把<u>梅松竹</u>叫做"<u>岁寒三友</u>"。

爸爸的弟弟	叔叔
苏州和杭州	人间天堂
黄河	母亲河
这	对联

(5) 看到这种情景，她<u>感动得不知道说什么好</u>。

着急得不知道怎么办好

遗憾得不知道说什么好

担心得不知道问谁好

难过得不知道跟谁说好

3 选词填空 Choose the right words to fill in blanks

A. 也　立即　半天　过奖　困难　情景　岁寒三友　看样子

(1) 学习上有＿＿＿＿＿＿就来找我。

(2) 他不但是我们的老师，＿＿＿＿＿＿是我们的朋友。

（3）＿＿＿＿＿＿＿＿他有话要对你说。

（4）我等了＿＿＿＿＿＿＿＿他也没来。

（5）你要是给我打电话，我＿＿＿＿＿＿＿＿就过来。

（6）想到我们过去在一起的＿＿＿＿＿＿＿＿，就好像是昨天发生的事情一样。

（7）中国人把梅松竹叫做＿＿＿＿＿＿＿＿。

（8）A：你真是帮了我的大忙。

　　　B：您＿＿＿＿＿＿＿＿了，这是我应该做的。

> B. 要是……就……　　　虽然……但是……
>
> 　因为……所以……　　　一……就……

（1）我要去香港，你＿＿＿＿＿＿想去，＿＿＿＿＿＿就跟一起去吧。

（2）你＿＿＿＿＿＿真喜欢她，＿＿＿＿＿＿应该把你想说的话告诉她。

（3）你的病＿＿＿＿＿＿好了，＿＿＿＿＿＿还需要多休息。

（4）＿＿＿＿＿＿王老师对学生很好，＿＿＿＿＿＿同学们都很尊敬
（zūnjìng：to respect）他。

（5）我哥哥大学＿＿＿＿＿＿毕业＿＿＿＿＿＿参加工作了。

（6）＿＿＿＿＿＿她今天晚上要去跳舞，＿＿＿＿＿＿打扮得很漂亮。

（7）＿＿＿＿＿＿身体不好，＿＿＿＿＿＿不能去上课。

（8）他就住在学校里，你＿＿＿＿＿＿找他，＿＿＿＿＿＿到他家去
找吧。

4 按照例句做练习　Practise after the model

> 例：A：怎么了？
>
> 　　B：不小心把盘子摔碎了。

（1）滑冰时把腿摔破了。

（2）骑自行车把人撞倒了。

（3）孩子踢球把窗户踢破了。

（4）抽烟把衣服烧了。

（5）不小心把护照丢了。

（6）大风把树刮倒了。

5 完成句子　Complete the following sentences

（1）要是＿＿＿＿＿＿＿＿＿＿，你的听力一定会提高得更快。

（2）要是＿＿＿＿＿＿＿＿＿＿，我们不会认识的。

（3）虽然学习很忙，＿＿＿＿＿＿＿＿＿＿＿＿。

（4）明天要是下雨，＿＿＿＿＿＿＿＿＿＿＿＿。

（5）＿＿＿＿＿＿＿，就应该到医院去检查检查。

（6）＿＿＿＿＿＿＿，但是我不知道她的名字。

（7）她的眼红红的，看样子＿＿＿＿＿＿＿＿＿＿＿＿＿。

（8）他屋里开着灯呢，看样子＿＿＿＿＿＿＿＿＿＿＿＿。

6 改错句　Correct the sentences

（1）她对中国画很感兴趣，画得不太好。

＿＿＿＿＿＿＿＿＿＿＿＿＿＿＿＿＿＿＿

（2）我虽然觉得汉语很难，也很有意思。

＿＿＿＿＿＿＿＿＿＿＿＿＿＿＿＿＿＿＿

（3）虽然她的身体不太好，所以她每天锻炼。

＿＿＿＿＿＿＿＿＿＿＿＿＿＿＿＿＿＿＿

（4）因为她感冒了，但是还来上课。

_____

（5）只要学习才能会说汉语。

_____

（6）要是你想去，就打电话我。

_____

7 遇到下列情景时怎么说　What should you say in the following situations

（1）朋友问你要是遇到不懂的问题怎么办，你怎么回答？

（2）你的包丢了，怎么向警察报告？

A：_____。

警察：你的包是什么颜色的？

A：_____。

警察：你把包丢在哪儿了？

A：_____。

警察：你还记得那辆车的颜色吗？

A：_____。

警察：有发票（fāpiào：invoice）吗？

A：_____。

警察：我们马上给你找。请把你的电话号码留下。

A：_____。

（3）你想和朋友明天去长城，天气预报说明天有雨……

朋友：要是明天下雨怎么办？

A：_____。（要是……就……）

8 综合填空 Fill in the blanks

十字路口

天快黑了。

我骑①_____自行车，急急忙忙地往家走。到了十字路口的时候，前面红灯亮②_____。我急忙停车，但是车没停③_____，还是向前跑，我紧握车闸，还是不行，车闸坏④_____！我连忙往下跳，但是还是过了停车线。

一个警察正站在我面前，他向我敬了个礼说："先生，请你把自行车推⑤_____那边去。"他指了指路边的岗亭。

"什么，过一点儿也要罚款？"我心里很不高兴，说："只过这么一小点儿，我以后一定遵守交通规则，不再……"

"先生，请你过去！"他又敬了个礼，很礼貌。我只好把车推过⑥_____。

他从岗亭里拿⑦_____一个工具箱，取出一把钳子，说："我看你的车闸坏了，所以得给你修理⑧_____，大街上还有好多个十字路口呢！"

9 写汉字 Learn to write

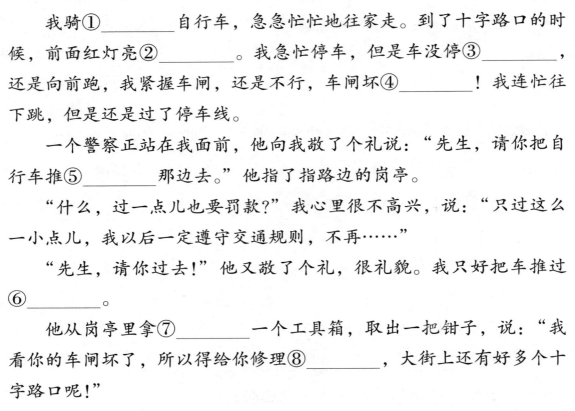

136

宾	丶	宀	宀	宁	审	宆	宾	宾	宾	
寒	丶	宀	宀	宁	审	宲	寒	寒	寒	寒
扶	扌	扌	扩	扶	扶					
抱	扌	扌	抈	抱	抱					
鞋	一	廿	廿	廿	昔	茸	革	鞋	鞋	
脚	月	胠	脚	脚						

Lesson 20

第二十课	吉利的数字

一 课文 Kèwén ● Text

（一）吉利的数字

（这是联欢会上麦克和爱德华说的小相声）

麦　克：你知道中国人喜欢什么数字吗？

爱德华：不知道。

8, 8, 8, 发，发，发。

麦　克：你怎么连这么简单的问题也不知道？不过，不知道
　　　　也好。

爱德华：什么话！

麦　克：以后你什么问题不知道就来问我好了。

爱德华：你知道？

麦　克：知道。世界上的事我知道一半，中国的事我没有不知
　　　　道的。

爱德华：是吗？

麦　克：你没听见大家都叫我什么吗？

爱德华：叫你什么？

麦　克："中国通"。

爱德华：你才学了三个半月的汉语，怎么就成"中国通"了？

麦　克：这不是说相声吗？你怎么连这也不懂。

爱德华：谁说我不懂？相声是笑的艺术。说相声就是要大家笑，
　　　　"笑一笑，十年少"嘛。

麦　克：对呀。谁听了我们的相声，谁就会笑起来，谁就会变
　　　　年轻，今年二十，明年十岁。

爱德华：什么？

麦　克：你不是说"笑一笑，十年少"吗？

爱德华：别开玩笑了。你还是说说中国人喜欢什么数字吧。

麦　克：我告诉你，你可别告诉别人。这是我的伟大发现，我
　　　　正准备去申请专利呢。

爱德华：你快说吧，我不会告诉别人的。

麦　克：中国人最喜欢的数字是"八"。

爱德华：八？为什么喜欢"八"？

麦　克：中国人认为这个数字最吉利。

爱德华："八"怎么吉利呢？

麦　克：你听！我说"八、八、八"……你能听出什么音
来吗？

爱德华："八、八、八"呀！

麦　克：你真笨啊！连这都听不出来。"八"的谐音不是"发"
吗？"八、八、八"就是"发、发、发"呀。

爱德华：我怎么听不出来呢？

麦　克：你的汉语水平太低。汉语的"发"是什么意思你知
道不？

爱德华：不知道。

麦　克："发"就是"发财"。现在谁不想发财呀，发了财就可
以买房子，买汽车，买巧克力，买土豆……想买什么
就买什么。

爱德华：你胡说什么呀！

麦　克：只要有钱就能买好多好东西。

爱德华：我想起来了。我学过，中国人喜欢"518"这个数，
也喜欢"五月十八号"这一天，因为"518"的谐音
是"我要发"。

麦　克：对！对！怎么？你也知道啊！

爱德华：是啊，我还知道中国人也喜欢"六"和"九"。

麦　克：为什么？

爱德华：因为……哎，你不是中国通吗？怎么又问起我来了？

麦　克：我问你，你告诉我，我懂了不就"通"了吗？

爱德华："九"与"长久"的"久"谐音。谁不希望友谊长久，爱情长久，活得长久啊。中国人还常说"六六大顺"。所以我知道中国人也喜欢"六"和"九"。

麦　克：你不笨啊！

爱德华：你才笨呢！

（二）宴会上的规矩

麦　克：中国人在宴会上的规矩可多了。

爱德华：都有什么规矩？

麦　克：首先，要请重要的客人、老师、领导和长辈坐上座。

爱德华：这是应该的。

麦　克：上菜时，如果是鱼的话，鱼头要对着上座，让重要的客人先吃第一口。喝酒的时候，大家都要先给他敬酒。

爱德华：上次我参加了一个中国朋友的婚礼，大家都让我先吃。是不是也把我看成重要的客人了？

麦　克：是。要是你到中国人家里去做客，他们就会准备好多菜，让你怎么也吃不完。给你敬酒的时候，一定要干杯，把杯子里的酒一口喝光。

爱德华：要是不会喝酒怎么办呢？

麦　克：那也没关系。他们会说"感情有，茶当酒"。你用茶代替就行了。

爱德华：你怎么知道得这么多啊！

麦　克：中国通嘛，当然知道得比你多了。

爱德华：哈哈！又吹起来了。

二 生词 Shēngcí ● New Words

1.	数字	（名）	shùzì	number
2.	连…也…		lián…yě…	even
3.	简单	（形）	jiǎndān	simple
4.	一半	（数）	yíbàn	one half
5.	中国通	（名）	zhōngguótōng	Chinese-hand
	通	（名、动）	tōng	expert；to know；to understand
6.	少	（形）	shào	young；younger
7.	别人	（代）	biérén	others；other people
8.	伟大	（形）	wěidà	great
9.	可	（副）	kě	by all means
10.	申请	（动）	shēnqǐng	to apply for
11.	专利	（名）	zhuānlì	patent
12.	认为	（动）	rènwéi	to maintain；to believe
13.	吉利	（形）	jílì	auspicious；propitious；lucky
14.	音	（名）	yīn	sound
15.	笨	（形）	bèn	stupid；foolish
16.	谐音	（名）	xiéyīn	homophony
17.	巧克力	（名）	qiǎokèlì	chocolate
18.	土豆	（名）	tǔdòu	potato
19.	胡说	（动）	húshuō	to talk nonsense
20.	友谊	（名）	yǒuyì	friendship

21.	长久	（形）	chángjiǔ	permanent; long-lasting
22.	爱情	（名）	àiqíng	love
23.	活	（动）	huó	to live; to be alive
24.	顺	（形）	shùn	smooth
25.	宴会	（名）	yànhuì	banquet; dinner party
26.	规矩	（名）	guīju	rule or habit; custom; established standard
27.	首先	（副）	shǒuxiān	first of all
28.	重要	（形）	zhòngyào	important
29.	领导	（名）	lǐngdǎo	leader
30.	长辈	（名）	zhǎngbèi	elder; senior
31.	上座	（名）	shàngzuò	the seat of honour
32.	敬酒		jìng jiǔ	to propose a toast
33.	上菜		shàng cài	to serve dishes; to lay dishes on the table
34.	如果	（连）	rúguǒ	if; in case
35.	上次	（名）	shàngcì	last time
	下次	（名）	xiàcì	next time
36.	干杯		gān bēi	to drink a toast; bottoms up
37.	代替	（动）	dàitì	replace; substitute
38.	感情	（名）	gǎnqíng	feeling; emotion
39.	当	（动）	dàng	to serve as; to be
40.	哈哈	（象）	hāhā	(sound of laughter)
41.	吹	（动）	chuī	to boast; to talk big; to brag

(一) 相声 Cross talk

中国人喜欢的一种艺术形式，用说笑话、说唱、问答等引起观众发笑，表演时常常两个人说，也可以一个人说或几个人说。

A popular performing art in China. The purpose of this art form is to make the audience laugh by jokes, singing and talking, and amusing dialogues. It is usually performed by two people, sometimes by one or by several.

(二) 什么话 What do you mean?（What kind of words are these?）

"什么话"可以用来表示批评和责难。意思是"你不该说这种话"。

"什么话" may be used to show unhappiness or displeasure about some words. It means "You shouldn't have said that."

(三) 以后你有什么问题就来问我好了 Later on whenever you have a question, just come to me.

"……好了"表示同意、赞成的语气。例如：你想来就来好了。

"……好了" expressesan agreeing and approving tone.

(四) 笑一笑，十年少 Laugh, and you will be ten years younger.

意思是：笑可以使人变得年轻。This Chinese saying means happy laughs can make people young again.

(五) "六"与"九"

汉语的"六"的大写是"陆"（liù），也念"lù"，与汉字"禄"是谐音字，"禄"是"富贵"的意思；"九"与"久"谐音，寓意"长久"，所以，"六"与"九"也都被看作吉利的数字。

The capital form for the Chinese number "六" is "陆"（liù）. It can also be read as "lù", which is a homophone of "禄". "禄" means "富贵"（rich and noble）. "九" is a homophone of "久", which means "长久"（long-lasting）. Consequently "六" and "九" are regarded by many people as lucky numbers.

四 语法 Yǔfǎ ● Grammar

（一）反问句 Rhetorical questions

对已知或明显的事实，汉语常用反问句来强调肯定或否定，用来证明某事或反驳别人。反问句的意义和形式正好相反，否定形式强调肯定；肯定形式强调否定。

Of a known or obvious fact, Chinese often use rhetorical questions to emphasize affirmation or negation. This question form is used to prove something or refute a person. The meaning is opposite to its form：the negative form emphasizes affirmation；the affirmative form emphasizes negation.

除了已学过的"不是……吗?"以外，反问句还有以下的形式：

Apart from "不是…吗?"（which we have learned）, rhetorical questions have some other forms：

1. 没 + 动……吗?　没 + Verb…吗?

（1）这件事你没听说过吗?（你应该听说过。）

（2）你没看见吗? 他就在这儿。（你应该看得见）

2. 用疑问代词反问　Rhetorical question with interrogative pronouns

（1）你不告诉我，我怎么知道呢?（我不可能知道。）

（2）A：听说他去过美国。

　　　B：他哪儿去过美国?（他没有去过美国。）

（3）好朋友邀请我，我怎么能不去呢。（当然要去。）

· 145 ·

（4）A：你不是不去吗？

　　B：谁说我不去？（我当然去。）

（5）A：她去哪儿了？

　　B：谁知道她去哪儿了。（我不知道。）

（二）强调意义的表达：连……也/都…… Indicating emphasis：…也/都…

汉语常用"连……也/都……"这一结构表示强调。介词"连"引出要强调的部分（一般是极端的情况），后边用"也、都"与之呼应。隐含有比较的语义，表示强调的对象尚且如此，其他的就更不用说了。例如：

Chinese often uses the construct "连…也/都…" to express an emphatic tone. The preposition "连" introduces the emphasized parts（usually an extreme case）, and is followed concertedly by "也" or "都". This construct implies a sharp contrast in meaning：if the emphasized is so, the others are out of the question, e. g.

（1）来北京快半年了，她连长城也没去过。（别的风景区更没去过了）

（2）你怎么连这么简单的问题也不会回答？（复杂的问题更不会了）

（3）A：你读过这本书吗？

　　B：没有，我连这本书的名字也没听说过。（不可能读过）

（4）A：你最近忙吗？

　　B：很忙，常常连星期日也不能休息。（平时更不能休息了。）

"连……也/都……"的"也"或"都"后边都可接否定句。后接肯定句时，通常用"连……都……"。

"也" or "都" may be followed by a negation sentence. If followed by an affirmative sentence, "连…都…" is usually used.

（5）连校长都参加了我们的联欢晚会。

（6）这么简单的问题连孩子都会回答。

（三）**强调肯定：二次否定** Emphasizing affirmation：double negatives

汉语在一个句子中用两个否定词来强调肯定。例如：

An affirmation may be emphasized with two negatives，e. g.

（1）中国的事我<u>没有</u>不知道的。（都知道）

（2）你<u>不能不</u>去。（你必须去）

五 练习 Liànxí ● Exercises ………………………………

① **语音** Phonetics

（1）辨音辨调 Pronunciations and tones

jílì	jīlì	guīju	guǐjì
jiǎndān	jiānduān	shùzì	shūzi
shēnqǐng	shénqíng	yǒuyì	yóuyù
zhǎngbèi	chángbèi	gǎnqíng	kàn qīng

（2）朗读 Read out the following phrases

申请留学	申请护照	申请签证
工作顺利	旅行顺利	祝你顺利
吉利的数字	吉利的话	吉利的日子
跟你开玩笑	开了一个玩笑	喜欢跟别人开玩笑
谁说我不会	谁说我没来	我怎么知道

连一个汉字也不会写　　　　连一句汉语也不会说

只要努力就能有好成绩　　　　只要吃了这药你的病就能好

② **替换** Substitutions

（1）A：我不知道<u>宴会上有什么规矩</u>。

B：你不是<u>中国通</u>吗？（你应该知道。）

她叫什么名字	跟她在一个班
这个电影好不好	看过这个电影
那儿的情况	去过那儿
鲁迅是谁	学过汉语
她结婚了	她的好朋友

(2) A：你怎么连<u>这个</u>也<u>不懂</u>。

B：谁说我<u>不懂</u>？

这个	不知道
鲁迅的书	没读过
这个题	不会做
长城	没去过
这个电影	没看过

(3) <u>只要</u>有钱<u>就能</u>买好多好东西。

你努力	能学好汉语
我有时间	一定参加
你去	一定能找到他
用一点儿时间	能看完
报名	可以参加太极拳比赛

(4) 谁听了他的相声都会笑起来。

知道这件事	会告诉你
听到这件事	会很高兴
知道你来	会欢迎的
去过那儿	会喜欢那儿的风光
看了这个电影	会被感动

(5) A：你认识张东吗？

B：我连这个名字也没听说过。

听得懂中文广播	简单的汉语	听不懂
会书法	汉字	不会写
能喝白酒	啤酒	不能喝
去过上海	中国	没去过
会修电脑	用	不会用

3 选词填空 Choose the right words to fill in blanks

感情　笨　认为　领导　首先　连　申请　玩笑　长久　简单

(1) 我＿＿＿＿＿＿法文字也不认识，更不要说看法语书了。

(2) 这个问题很＿＿＿＿＿＿，谁都会回答。

(3) 有的中国人＿＿＿＿＿＿"八"是个吉利的数字。

(4) 他这个人就爱跟别人开＿＿＿＿＿＿。

(5) 我想向学校＿＿＿＿＿＿再延长一年。

(6) 希望我们两国人民＿＿＿＿＿＿地友好下去。

(7) _____让我来给大家介绍一下。

(8) 今天的晚会，很多重要的国家_____人都来了。

(9) 刚来时，我一点儿也不习惯，现在我对这儿已经有了_____，又不想离开了。

(10) 我真_____，怎么连这么简单的问题也答不出来。

④ 划线组句 Link part A and B to form sentences

(1) 只要你给我打电话 ·   ·病很快就会好。

(2) 只要你努力 ·   ·我就一定来。

(3) 只要汉语说得好 ·   ·就一定能把汉语学好。

(4) 只要吃了这种药 ·   ·就能买到好东西。

(5) 只要你告诉她 ·   ·就能找到工作。

(6) 只要有钱 ·   ·她就会帮助你。

⑤ 用反问句完成句子 Complete the following sentences with rhetorical questions

(1) A：来中国以前，她没学过汉语。

    B：_____？（谁说……）

(2) A：你没看过这个电影，你怎么知道没有意思。

    B：_____？（谁说……）

(3) A：你知道这件事吗？

    B：_____？（怎么……）

(4) A：我的钥匙怎么找不到了？

    B：_____？（不是……吗）

（5）A：听说小张去美国留过学。

　　B：_____？（哪里……）

（6）A：你知道玛丽去哪儿了？

　　B：_____？我今天一天都没看见她。（谁……）

6 用"连……也/都……"回答问题

Answer the questions with "连…也/都…"

（1）A：听力考试难吗？

　　B：很难，_____。

（2）A：来中国以前你学过多长时间汉语？

　　B：_____。

（3）A：听说她结婚了。

　　B：胡说，_____，跟谁结婚呢？

（4）A：来中国以后你去旅行过几次？

　　B：_____。

（5）A：你读过鲁迅的作品吗？

　　B：_____。

（6）A：今天你来得早吗？

　　B：来得很早，我来时_____。

（7）A：她回国以后常给你写信吗？

　　B：_____。

（8）A：这些书你看完几本了？

　　B：我刚借来，_____。

7 遇到下列情况怎么说（用反问句）

What should you say in the following situations（using rhetorical questions）

（1）朋友在找钥匙，你看她的钥匙就在桌子上，你怎么说？

（2）朋友问你的老师叫什么名字，你说不知道，你的朋友会怎么说？

（3）朋友问你桂林的风景怎么样，但是你没去过，怎么说？

（4）有人说你当过演员，但是你没有当过演员，怎么说？

（5）有人找玛丽，但玛丽不在，她问你，但你不知道，怎么说？

8 改错句　Correct thesentences

（1）你把生词不是要预习预习吗？

_____

（2）只要你努力才能学好汉语。

_____

（3）只要汉语说得好，就我能找到工作。

_____

（4）连我看得懂说明书，你一定看得懂。

_____

（5）连她不会做这个题，我也不会。

_____

（6）我以前连一次也没有来过中国。

_____

哪个数字最吉利

看到很多朋友买了汽车，李四也买了一辆。去办理牌照的时候，营业员①_____他说，如果多交50元，车牌的最后一个号码可以随便挑。李四就多交了50块钱。

营业员说，从0到3，从5到9，您选哪个数字呀？

李四说，我自己决定不②_____，让我回去跟妻子商量商量，一会儿我再来告诉您。

营业员笑着说，您快点儿啊。

李四说，一会儿就来。

李四回到家，对妻子讲了挑号码的事。妻子说，就挑8嘛，还跟我商量什么，这几年只要带8字的东西都卖得快，这个数字最吉利。

李四说，8跟伤疤的"疤"同音，不太好，我看6比较合适，六六大顺，你看行不行。

妻子说，6和"流"谐音，流氓、流浪，多难听。我看9这个数不错，你说呢？

李四说，9好什么？九泉，人一死就说去了九泉。9又和"救"谐音，救济、救命，都是不吉利的词。还是5吧，你看5怎么样？

妻子说，5更不好了！要是倒数第二位是2、7、8的话，你念念，不就成了儿无、妻无、爸无了吗？另外，5与污染的"污"谐音，不干净。不能要5，还是7这个数合适。

李四说，7和"凄惨"的"凄"同音，也不好。

妻子说，选3行不行？

李四摇摇③_____说，三就是散，就是离婚，多不吉利呀，你想想2可以不可以？

妻子分析说，二流子、二百五，都和二有关。二和儿谐音，当儿子有低人一等的感觉。不行，不行。

李四说，那就选1吧。

妻子说，你怎么糊涂了，1是什么好数字呀！一团糟、一场空，1的贬义词太多。

李四说，没关系，在电话号码中人们不说一，说幺（yāo）。

妻子说，那就更不好了，"幺"和"夭"同音，夭折不就是死了吗？这个更不行了。

李四说，那就用0吧，0怎么看都是0，永远不会看错。

妻子说，0和"灵"同音，灵堂、灵车，都和死人④_____关系，最不吉利了。

李四说，那就只有4了，我认为这个数字不坏，四季发财，我李四从小到大，平安无事地长这么大，就是和"4"有关系。

妻子说，别说了，四就是死，谁不知道这是个倒霉的数字，我们要选这个数，人家会笑掉牙的。

李四说，0到9我们都研究过了，都不行，你说怎么办？

妻子说，从0到9，每张纸上各写一个数字，揉成纸团，抓到哪个是⑤_____吧。

李四说，这个办法不错。妻子写好后，⑥_____纸团放在一起，李四随便抓了一个，打开一看……

妻子生气地哭⑦_____。

李四又来到办牌照的地方，把纸递给营业员说，就要这个数。

营业员办完手续后又把50块钱还⑧＿＿＿＿＿＿＿了李四。

李四问，这50块钱怎么又还给我了？

营业员说，你选的这个数不加钱。

补充生词　Supplementary words

1. 牌照	páizhào	license plate for an automobile
2. 伤疤	shāngbā	scar
3. 流氓	liúmáng	rogue; hooligan
4. 九泉	jiǔquán	the nether world
5. 救济	jiùjì	to relieve
6. 救命	jiù mìng	Help! to save sb.'s life)
7. 污染	wūrǎn	to pollute
8. 凄惨	qīcǎn	wretched
9. 二流子	èrliúzi	loafer
10. 二百五	èrbǎiwǔ	a stupid person
11. 低人一等	dī rén yì děng	inferior to others
12. 糊涂	hútu	muddled
13. 一团糟	yìtuánzāo	a complete mess
14. 一场空	yìchǎngkōng	all in vain
15. 贬义词	biǎnyìcí	derogatory term
16. 夭折	yāozhé	to die young
17. 死	sǐ	to die; dead
18. 灵堂	língtáng	mourning hall
19. 灵车	língchē	hearse
20. 揉	róu	to rub

吉	十	十	十	吉							
吹	口	吖	吣	吹							
申	曰	申									
伟	亻	亻	仨	伟	伟						
简	𥫗	𥫗	笒	笆	简	简					
单	丶	丷	畄	单							
连	车	连									
领	丿	𠆢	𠆢	今	令	饣	钌	领	领	领	
首	丶	丷	䒑	首							
笨	丿	𥫗	𥫗	笒	笨	笨					
胡	十	古	胡								
辈	丿	扌	圭	非	非	非	非	辈			
哈	口	吟	哈	哈							
情	忄	忄	忄	情							
谊	讠	讠	讠	诣	诣	诣	谊	谊			

附录:

部分练习参考答案

第十一课 Lesson 11

5. 改错句 Correct the sentences

（1）教室里跑出来了一个人。/麦克从教室里跑出来了。

（2）草地上坐着很多同学。/很多同学坐在草地上。

（3）我和朋友坐在车里。/车里坐着我和朋友。

（4）他坐的汽车从前边开过来了。/前边开过来一辆汽车。

（5）我们班来了一位新老师。/我们班新来了一个老师。

（6）我的汉语越来越流利了。/我的汉语越说越流利了。

（7）这个歌我越听越喜欢。

（8）他躺在沙发上睡觉呢。/他睡在沙发上。

7. 综合填空 Filling the blanks

（1）得 （2）在 （3）地 （4）了 （5）着 （6）完

（7）过 （8）了

第十二课 Lesson 12

8. 改错句 Correct the sentences

（1）我把词典放在书包里了。

（2）我应该把这件礼物送给她。

（3）我用了两天的时间把这篇小说翻译成了英文。

（4）我常常在饭店吃晚饭。

（5）我把新买的画儿挂在宿舍的墙上了。

（6）我已经把那张照片寄给妈妈了。

第十三课　Lesson 13

7. 改错句　Correct the sentences

（1）请把那本画报递给我看看。/我看看那本画报，好吗？

（2）以前我见过天安门。

（3）外边很冷，快把大衣穿上。

（4）我来中国以后，很想朋友。

（5）他能把五瓶啤酒喝完。/他能喝五瓶啤酒。

（6）你知道，我很喜欢狗。

（7）我看见玛丽进宿舍去了。

（8）我来中国以前不会说汉语。

9. 综合填空　Filling the blanks

（1）了　（2）把　（3）在/到　（4）来　（5）了　（6）把
（7）成　（8）去

第十四课　Lesson 14

6. 改错句　Correct the sentences

（1）我的衣服都被雨淋湿了。

（2）真对不起，你的照相机让我弄/摔坏了。

（3）我买了他的自行车。/他把自行车卖给我了。

（4）我也差点儿被自行车撞倒。

（5）我忘把钥匙拔下来了。/钥匙我忘拔下来了。

（6）我们班有好几个同学都感冒了。

（7）我们刚到公园就下雨了。

（8）今天的作业我还没做完呢。/今天的作业我没做完。

7. 综合填空　Filling the blanks

（1）在　（2）被　（3）张　（4）的　（5）把　（6）在

第十五课　Lesson 15

6. 改错句　Correct the sentences

（1）中文广播说得太快了，我听不懂。

（2）今天的作业太多了，我做到十点也没做完。

（3）你中文小说看得懂看不懂？/你看得懂中文小说吗？

（4）因为买不着/到机票，今天我回不去。

（5）今天的作业我做得完。

（6）刚来中国时，我一句汉语也听不懂。

（7）这些菜你吃得完吃不完？

（8）这个包放不下这么多书。

8. 综合填空　Filling the blanks

（1）车上　　（2）得　　（3）就　　（4）快　　（5）但是　　（6）就

（7）怎么　　（8）了

第十六课　Lesson 16

6. 改错句　Correct the sentences

（1）门太小了，这个沙发搬不进去。

（2）今天我们见得了面吗？/今天我们能见面吗？

（3）这个书柜我们两个搬不动。

（4）你要的菜太多了，我们肯定吃不了。

　　/你要的菜太多了，我们肯定吃不完。

（5）天太黑了，我什么都看不见。

（6）这个包放不下这么多书。

第十七课　Lesson 17

6. 改错句　Correct the sentences

（1）他照/洗出来的照片很好看。

（2）这个词我查不出来。/这个词我没查出来。

（3）因为家里没有钱，没办法让我继续学下去了。

（4）我想不起来她叫什么名字了。

（5）他想出来了一个办法。

（6）这件事我不想告诉她，但是她已经知道了。

7. **综合填空** Filling the blanks

（1）进　　（2）起来　　（3）去　　（4）起　　（5）出来　　（6）把

（7）出　　（8）起来

第十八课　Lesson 18

7. **改错句** Correct the sentences

（1）哪个题容易，我就做哪个。

（2）你怎么说，我就怎么做。

（3）哪儿好玩儿，我们就去哪儿玩儿。

（4）我的电脑坏了，怎么也修不好。

（5）我刚来中国的时候，什么话也不会说。

　　/我刚来中国的时候，一句汉语不会说。

（6）老师的话我听不懂。/老师的话我一边听，一边想。

第十九课　Lesson 19

6. **改错句** Correct the sentences

（1）她虽然对中国画很感兴趣，但是画得不太好。

（2）我觉得汉语虽然很难，但是也很有意思。

（3）因为她的身体不太好，所以她每天锻炼。

（4）她虽然感冒了，但是还来上课。

（5）只要好好学习，就能会说汉语。

（6）要是你想去，就给我打电话。

8. **综合填空** Filling the blanks

（1）着　（2）了　（3）住　（4）了　（5）到　（6）去

（7）出来　（8）一下

第二十课　Lesson **20**

8. **改错句** Correct the sentences

（1）你不是要把生词预习预习吗？

（2）只要你努力，就能学好汉语。

（3）只要汉语说得好，我就能找到工作。

（4）连我都看得懂说明书，你更能看得懂了。

（5）连她都不会做这个题，我更不会了。

（6）我以前连一次中国也没有来过。/中国我以前连一次也没有来过。

9. **综合填空** Filling the blanks

（1）对　（2）了　（3）头　（4）有　（5）哪个　（6）把

（7）了　（8）给

唉	（叹）	ài	14	布置	（动）	bùzhì	12
爱情	（名）	àiqíng	20	擦	（动）	cā	12
安全	（形、名）	ānquán	13	猜	（动）	cāi	15
安全带	（名）	ānquándài	13	彩带	（名）	cǎidài	12
暗	（形）	àn	13	彩灯	（名）	cǎidēng	12
把	（介）	bǎ	12	插头	（名）	chātóu	13
扳	（动）	bān	13	长久	（形）	chángjiǔ	20
搬	（动）	bān	11	尝	（动）	cháng	11
办理	（动）	bànlǐ	13	成立	（动）	chénglì	17
抱	（动）	bào	19	乘	（动）	chéng	13
杯子	（名）	bēizi	13	抽	（动）	chōu	17
背	（动）	bèi	16	抽烟		chōu yān	14
被	（介）	bèi	14	出汗		chū hàn	16
笨	（形）	bèn	20	出门		chū mén	11
比	（动）	bǐ	16	传统	（名、形）	chuántǒng	15
表现	（动）	biǎoxiàn	15	船	（名）	chuán	18
别人	（代）	biérén	20	喘气		chuǎn qì	16
宾馆	（名）	bīnguǎn	12	窗	（名）	chuāng	12
冰灯	（名）	bīngdēng	18	窗户	（名）	chuānghu	12
冰雕	（名）	bīngdiāo	18	吹	（动）	chuī	20
冰箱	（名）	bīngxiāng	12	春节		Chūn Jié	11
兵马俑	（名）	bīngmǎyǒng	18	答应	（动）	dāying	12
不好意思		bù hǎo yìsi	14	打扮	（动）	dǎban	11
不久	（名）	bùjiǔ	17	打的		dǎ dí	11
不要紧		bú yàojǐn	14	打扫	（动）	dǎsǎo	12

行业	（名）	hángyè	12	叫做	（动）	jiàozuò	19
好吃	（形）	hǎochī	18	接着	（动）	jiēzhe	16
合同	（名）	hétong	17	节日	（名）	jiérì	11
合资	（动）	hézī	17	结	（动）	jiē	11
黑板	（名）	hēibǎn	12	戒烟		jiè yān	14
胡说	（动）	húshuō	20	惊喜	（名）	jīngxǐ	12
花	（动）	huā	14	精彩	（形）	jīngcǎi	15
画报	（名）	huàbào	13	警察	（名）	jǐngchá	19
画家	（名）	huàjiā	19	敬酒		jìng jiǔ	20
话剧	（名）	huàjù	16	纠正	（动）	jiūzhèng	16
欢乐	（形）	huānlè	11	句	（量）	jù	19
会场	（名）	huìchǎng	12	剧场	（名）	jùchǎng	14
活	（动）	huó	20	决定	（动、名）	juédìng	15
机场	（名）	jīchǎng	14	开	（动）	kāi	11
机票	（名）	jīpiào	13	开	（动）	kāi	12
积极	（形）	jījí	16	开关	（名）	kāiguān	13
基础	（名）	jīchǔ	17	开玩笑		kāi wánxiào	18
吉利	（形）	jílì	20	开演	（动）	kāiyǎn	15
吉祥	（形）	jíxiáng	12	开展	（动）	kāizhǎn	17
计划	（动、名）	jìhuà	18	看样子		kàn yàngzi	19
系	（动）	jì	13	考察	（动）	kǎochá	18
继续	（动）	jìxù	17	棵	（量）	kē	11
加油		jiā yóu	16	可	（副）	kě	19
甲	（名）	jiǎ	18	可	（副）	kě	20
简单	（形）	jiǎndān	20	可不是	（副）	kěbúshì	12
建	（动）	jiàn	11	可气	（形）	kěqì	14
建议	（名、动）	jiànyì	11	渴	（形）	kě	18
交流	（动）	jiāoliú	17	肯定	（动）	kěndìng	15
脚	（名）	jiǎo	19	空	（形）	kōng	11
叫	（介）	jiào	14	空姐	（名）	kōngjiě	13

空调	(名)	kōngtiáo	11	哦	(叹)	ò	12
恐怕	(副)	kǒngpà	16	怕	(动)	pà	16
空儿	(名)	kòngr	17	排	(量)	pái	15
困难	(名)	kùnnan	19	排练	(动)	páiliàn	16
拉	(动)	lā	14	骗	(动)	piàn	14
辣子鸡丁		làzi jīdīng	18	票	(名)	piào	13
来往	(动)	láiwǎng	19	品尝	(动)	pǐncháng	12
缆车	(名)	lǎnchē	16	起飞	(动)	qǐfēi	13
浪费	(动)	làngfèi	14	卡子	(名)	qiǎzi	13
离开	(动)	líkāi	11	签	(动)	qiān	17
礼物	(名)	lǐwù	11	钱包	(名)	qiánbāo	14
立即	(副)	lìjí	19	巧克力	(名)	qiǎokèlì	20
连…也…		lián…yě…	20	亲手	(副)	qīnshǒu	12
联欢会	(动)	liánhuānhuì	11	情景	(名)	qíngjǐng	19
脸谱	(名)	liǎnpǔ	15	让	(介)	ràng	14
凉	(形)	liáng	13	人间	(名)	rénjiān	15
了	(动)	liǎo	15	人们	(名)	rénmen	11
了解	(动)	liǎojiě	15	人物	(名)	rénwù	15
淋	(动)	lín	14	认识	(动)	rènshi	12
零下	(名)	língxià	18	认为	(动)	rènwéi	20
领导	(名)	lǐngdǎo	20	如果	(连)	rúguǒ	20
流	(动)	liú	14	洒	(动)	sǎ	13
路线	(名)	lùxiàn	18	沙发	(名)	shāfā	12
落汤鸡	(名)	luòtāngjī	14	傻	(形)	shǎ	14
满	(形)	mǎn	15	山水	(名)	shānshuǐ	18
梅	(名)	méi	19	伤	(动)	shāng	14
面前	(名)	miànqián	19	上菜		shàng cài	20
民族	(名)	mínzú	18	上次	(名)	shàngcì	20
内容	(名)	nèiróng	15	上街		shàng jiē	14
农村	(名)	nóngcūn	19	上下班		shàng xià bān	15

托运	（动）	tuōyùn	13	幸福	（形）	xìngfú	12
外宾	（名）	wàibīn	19	性格	（名）	xìnggé	15
外地	（名）	wàidì	18	演	（动）	yǎn	16
弯	（动、形）	wān	19	演出	（动、名）	yǎnchū	15
玩笑	（名）	wánxiào	18	演员	（名）	yǎnyuán	15
危险	（形、名）	wēixiǎn	16	宴会	（名）	yànhuì	20
伟大	（形）	wěidà	20	样子	（名）	yàngzi	19
无	（动）	wú	16	腰	（名）	yāo	19
武打	（名）	wǔdǎ	15	邀请	（动）	yāoqǐng	17
峡	（名）	xiá	18	要紧	（形）	yàojǐn	14
下	（动）	xià	15	业务	（名）	yèwù	17
下次	（名）	xiàcì	20	一半	（数）	yíbàn	20
仙女	（名）	xiānnǚ	15	一边…一边…		yìbiān…yìbiān…	18
现代化	（动、名）	xiàndàihuà	11	一定	（形）	yídìng	17
羡慕	（动）	xiànmù	15	一下子		yíxiàzi	17
相声	（名）	xiàngsheng	16	遗憾	（形）	yíhàn	11
相信	（动）	xiāngxìn	16	椅子	（名）	yǐzi	12
响声	（名）	xiǎngshēng	13	艺术	（名）	yìshù	15
小区	（名）	xiǎoqū	11	意见	（名）	yìjiàn	11
小偷	（名）	xiǎotōu	14	音	（名）	yīn	20
小心	（形、动）	xiǎoxīn	13	音响	（名）	yīnxiǎng	12
谐音	（名）	xiéyīn	20	应	（动）	yìng	17
鞋	（名）	xié	19	应邀	（动）	yìngyāo	17
鞋带	（名）	xiédài	19	影响	（动、名）	yǐngxiǎng	15
血	（名）	xiě	14	硬币	（名）	yìngbì	13
心	（名）	xīn	16	游览	（动）	yóulǎn	18
新春	（名）	xīnchūn	12	友谊	（名）	yǒuyì	20
新年	（名）	xīnnián	11	有趣	（形）	yǒuqù	15
兴旺	（形）	xīngwàng	12	遇到	（动）	yùdào	14
行李	（名）	xíngli	13	圆圈	（名）	yuánquān	12

专有名词　Proper Names